3日でわかる法律入門

# はじめての
# 刑事訴訟法

第9版

尾崎哲夫

自由国民社

# はじめに――法律をみんなのものに

## ❖私たちと法律

「法律は難しい」というイメージがあります。

また「法律は専門的なことで，普通の人の普通の生活には関係ないや」と思う人も多いことでしょう。

しかし，国民として毎日の生活を送るかぎり，いやおうなしにその国の「法律」というルールの中で生きているはずです。

クルマに乗れば，道路交通法に従わなければなりません。

商取引は当然，商法などの法律の規制の下にあります。

私達はいわば法の網の目の中で，日々の生活を過ごしているわけです。

法律の基本的な知識を持たずに生活していくことは，羅針盤抜きで航海するようなものです。

## ❖判断力のある知恵者になるために

法律を学ぶことには，もう一つ大きな効用があります。

**法律を学ぶと，人生において最も大切な判断力が養われます。**

**ともすればトラブルを起こしがちな人間社会の生活関係において，そこに生じた争いごとを合理的に解決していく判断力を養うことができます。**

たとえば，学生が学校の銅像を傷つけたとします。

判断力のない小学生の場合，次のような反応をします。

「えらいことをしてしまった。叱られるかな，弁償かな」

でも法学部の学生なら，次のような判断ができるはずです。
「刑法的には，故意にやったのなら器物損壊罪が成立する」
「民法的には，故意／過失があれば不法行為が成立する。大学は学生に対して損害賠償請求権を持つ」
このように判断した後ならば，次のような常識的判断も軽視できません。
「簡単に修理できそうだから，問題にならないだろう。素直に謝って始末書を出せば平気かな，わざとやったわけではないし」

### ❖刑事訴訟法について

刑事訴訟法は，憲法・民法などと共に法律の中心です。
兄貴分である刑法とあわせて，六法の中の二つを占める法律です。
刑事訴訟法の理論は，体系的に法律を学ぶ者が一度は登るべき山です。

### ❖誰でもわかる法律の本を

ところが従来の法律の本は，刑事訴訟法にかぎらず専門的すぎてわかりづらいものがほとんどでした。法律はやさしいものではないのだから，読者が努力して理解するものだ，という発想があったことは否定できないと思います。
かなり優秀な法学部の学生や基礎的知識のある社会人などを対象として，筆者が思うままに書き進めるパターンが支配的だったように思われます。

しかし法律をみんなのものにするためには，理解しようとする人なら誰でもわかる本を書いていかなければならないと思います。

失礼な表現かも知れませんが，**平均以上の高校生が理解できるように書き進めました。**高等学校の公民＝政治経済の授業で平均以上のやる気のある高校生に対して，黒板で説明していくつもりで書いていきました。

一人でも多くの方がこの本をきっかけに法律に親しみ，判断力を養い，法律を好きになっていただければ，望外の幸せであります。

自由国民社はできるだけわかりやすい法律の本を，安く提供することに努力を傾けてきた出版社です。自由国民社のこのシリーズが長く愛読されることを願ってやみません。

令和４年10月吉日

**尾崎哲夫**

〈付記〉

編集担当者として努力を惜しまれなかった自由国民社の竹内尚志編集長に心から御礼を申し上げます。竹内氏の能力と情熱がなければこの本はできなかったことでしょう。

# この本の使い方

この本は刑事訴訟法と少年法など若干の特別法に対応しています。

この本の第1時間目から第9時間目までで，刑事訴訟の法体系を順を追って勉強していきます。そして第0時間目は「序論」として，一番前に持ってきました。

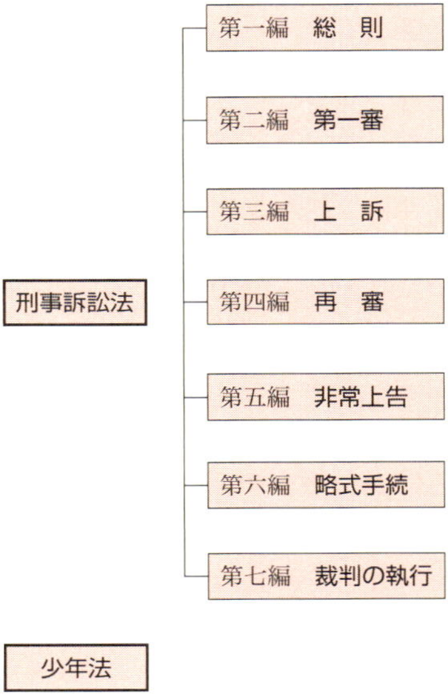

- 刑事訴訟法
  - 第一編　総　則
  - 第二編　第一審
  - 第三編　上　訴
  - 第四編　再　審
  - 第五編　非常上告
  - 第六編　略式手続
  - 第七編　裁判の執行
- 少年法

それぞれのページの中で出てくる法律の条文のうち，とくに参照しながら読んでほしいものは，そのページか隣のページの下の方に，わかりやすい表記にして載せてあります(法律名が書いてないものは原則として刑事訴訟法の条文です)。

そして巻末には，重要な条文をまとめて掲載しました。

**電車の中で，六法を参照できないときにも読めるように工夫**しました。

ふりがなもつけてありますので，なるべく条文になじむようにしてください。**なおこの本の内容は，令和4年9月1日までに公布された法令などにもとづいて書かれています。**

記憶すべきまとまったことがらについては，黒板の中に整理しました。

試験対策として使えるはずです。

試験対策でなくてもある程度の基本事項を記憶していくことは，さらに勉強を進めるにあたって，重要なことです。

覚えるほうがよいと思われる事項については，黒板のまとまりごとに記憶し，次のステップに対する準備としてください。

巻末に若干の付録をつけました。また，さくいんもつけてありますのでご利用ください。

## 推薦できる法律関係の本

❖刑事訴訟法に関する本

⑴『刑事訴訟法（有斐閣アルマ）』長沼範良・田中開・寺崎嘉博著（有斐閣）
コンパクトなサイズのわかりやすい入門書。

⑵『プライマリー刑事訴訟法』椎橋隆幸著（信山社）
初学者向けに書かれている基本書。

⑶『刑事訴訟法（LEGAL QUEST）』宇藤崇・松田岳士・堀江慎司（有斐閣）
基本事項と重要判例が上手くまとまっている人気の基本書。

⑷『入門刑事手続法』三井誠・酒巻匡（有斐閣）

⑸『刑事訴訟法判例百選』井上正仁・大澤裕・川出敏裕編（有斐閣）

⑹『刑事訴訟法講義』池田修・前田雅英著（東京大学出版会）

⑺『刑事訴訟法』白取祐司著（日本評論社）

⑻『刑事訴訟法』田口守一著（弘文堂）

❖法律一般に関する本

⑴『訴訟をするならこの1冊』國部徹監修（自由国民社）
　トラブルに巻き込まれたときの訴え方を詳しく紹介。
⑵『法律の抜け穴全集』富田晃栄ほか著(自由国民社)
⑶『イラスト六法　わかりやすい訴訟のしくみ』石原豊昭著／國部徹補訂（自由国民社）
⑷『法律用語ハンドブック』尾崎哲夫著(自由国民社)
　基本的な法律用語を手軽に覚えることができる，法律用語の入門書。
⑸『法律英語用語辞典』尾崎哲夫著（自由国民社）
⑹『法と社会』碧海純一著（中央公論新社）
　法と社会についてのわかりやすい解説書。
⑺『江戸の訴訟』高橋敏著（岩波書店）
　当時の訴訟状況が，具体的事例を通して興味深く書かれている。
⑻『新版　裁判の秘密』山口宏・副島隆彦著（宝島 SUGOI 文庫）
⑼『逮捕されたらこうなります！』Satoki 著（自由国民社）
⑽『クロスオーバー 民事訴訟法 刑事訴訟法』小林秀之・安冨潔著(法学書院)
⑾『ドキュメント裁判官』読売新聞社会部著（中公新書）
⑿『ドキュメント検察官』読売新聞社会部著（中公新書）
⒀『ドキュメント弁護士』読売新聞社会部著（中公新書）

## もくじ

## 6時間目 刑事訴訟その6



## 7時間目 刑事訴訟その7



## 8時間目 刑事訴訟その8



## 9時間目 刑事訴訟その9



本文デザイン――中山銀士　　カット――勝川克志

# 0時間目 序論
# 刑事訴訟法とは?

▶六　法

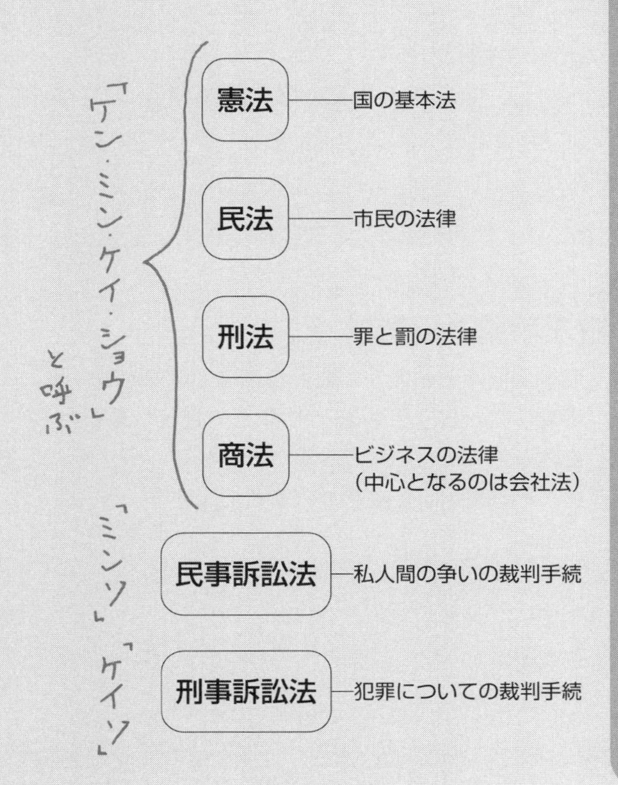

## ❶ ▶ 刑事訴訟法とは？

刑事訴訟法は，刑法の規定に反した者の処罰を現実に実行するための法律です。実際に被疑者を捕まえたり物を押収するなどの捜査手続や，被告が有罪か無罪かを判断する裁判を実行するための手続を規定しています。

**刑法と刑事訴訟法**
**①刑法　「何をしたらどんな罰を受けるか」を定める**
**②刑事訴訟法　刑法の規定をどうやって実行するかを定める**

●1●
### 捜査手続と公判手続

刑事手続はどのように進行してゆくのでしょうか。

**捜査手続から公判手続への流れで進行します。**

**事件が裁判所にいったかどうかを境にして，それ以前を捜査手続，それ以後を公判手続，と言います。**

**刑事手続を大きく２つに分けると…**
**①捜査手続**
**②公判手続**

捜査手続は，次のように分類されます。

**捜査手続の分類**
**①証拠物品を探して集める手続**
**②証言を集める手続**
**③罪を犯したと疑われる者を捕まえる手続**
**④起訴（きそ）するか否かの判断手続**

他方，公判手続は次のように分類されます。

**公判手続**
**①被告人による犯罪事実があったか否かなどについての主張と立証手続** 検察官と被告人側の攻撃防御が展開されます
**②判決**
**③判決に不服のある検察官・被告人による上訴（じょうそ）など**

●2●
# 刑事訴訟手続の思想

## ❖罪刑法定主義

まず，罪刑法定主義（ざいけいほうていしゅぎ）という思想があります。

刑法のもとでは，罪刑法定主義という原則が重要だということを学習しました。罪刑法定主義は，犯罪と刑罰は法律で定められかつ内容が適正であることを要求するのみならず，その手続までも法律で規定され，適正であることを要請します。なぜならば，人の財産・生命を奪うことも可能な刑罰権という国家権力の発動には，慎重の上に慎重を期するべきだからです。

人権保障の要請

従って，刑事訴訟法によって刑事手続が法定され，かつその内容も適正であることが要請されています。

国の最高法規である憲法においても，刑事手続における適正手続の要請を規定しています（憲法31条から40条参照）。

### ❖実体的真実主義と適正手続主義の調和

しかしながら，このように手続が適正であることを徹底的に追及するとどうなるでしょうか。

犯人らしき人間を発見しても，身柄を拘束することに慎重すぎると，逃げられてしまいます。犯罪に関係する証拠物を発見しても，犯罪の証拠物かどうかを確認するのに慎重になりすぎて確保できなかったとしたら，さっさと捨てられてしまい，証拠隠滅されてしまうことにもなります。

これでは，刑事訴訟手続に対する国民の信頼は失われてしまいます。また，刑事事件においては，社会的に重大な事件も少なくありません。

それゆえに，真実・真相を解明することも刑事手続に強く求められているのです。刑事訴訟法においては，この**真実究明と適正手続の要請の調和**が，重要なテーマとなっています。

刑事訴訟法1条も，「基本的人権の保障を全うしつつ，事案の真相を明らかにし」と刑事訴訟法の目的を述べています。

1条：この法律は，刑事事件につき，公共の福祉の維持と個人の基本的人権の保障とを全うしつつ，事案の真相を明らかにし，刑罰法令を適正かつ迅速に適用実現することを目的とする。

## ②► 刑事訴訟の主な登場人物

以下が，刑事訴訟における主要なキャラクターです。

**①被疑者・被告人**
**②弁護士（資格を有する弁護人）**
**③検察官**
**④裁判官**

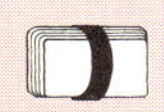

これらの人々はどのような役割を果たしているのか，ざっと見てみましょう。

まず，検察官に起訴される前の段階で，警察官ら捜査機関から「犯人かもしれない」と疑われている者を被疑者（ひぎしゃ）といいます。そして，検察官に起訴された後は，この者を被告人（ひこくにん）と呼びます。

自然人だけでなく，法人・権利能力（けんりのうりょく）なき社団も，検察官に起訴されると，訴訟の当事者になります。

もっとも，刑事訴訟においては，被告人の生命・身体・財産などが危機にさらされるので，被告人は十分に防御（ぼうぎょ）しなければなりません。

そのために，十分に防御できる能力＝訴訟能力（そしょうのうりょく）が必要となります。これを欠くときには，公判手続を進行させることができません（314条）。

●1●

## 弁護士はカッコいい？

Lawyer, Attorney at law

弁護士は，刑事手続において，法律の専門家として被疑者・被告人に防御のために法律知識を助言し，被疑者・被告人の利益を保護する弁護人の役割を果たします。

弁護人の選任には，私選弁護と国選弁護の2種類があります。

**弁護人の選任**

**①私選弁護**

**被疑者・被告人自身や親，妻や夫，兄弟姉妹などが弁護人を選任する場合です（30条2項）。**

**②国選弁護**

**裁判所が弁護人を選任する場合です。**

国選弁護人は，さらに3種類に区別されます。

**国選弁護人が選任される場合**

**①被疑者・被告人が請求する場合**

**②請求なくとも，裁判所が自身の判断で選任する場合**

**③必要的弁護事件の場合**

第一に，被疑者・被告人が請求する場合です。

被疑者や被告人が貧しくて，弁護士を雇うお金がない場合などに認められます。これは憲法上も認められている権利です

（憲法 37 条 3 項，刑訴法 36 条，37 条の 2）。

お金がないといった理由により弁護士が雇えず，その結果，法律知識の乏(とぼ)しさなどから無実であるにもかかわらず裁判で有罪とされることを防ぐためです。

第二に，請求がなくとも裁判所が自身の判断で選任する場合です。被告人が未成年の場合や 70 歳以上の場合など，弁護士をつけないと訴訟において十分に自分の利益を守ることができないと裁判所が判断した場合には，裁判所の裁量(さいりょう)で弁護士がつけられます（37 条，37 条の 4）。

第三に，法律上弁護人を選任することが要求されている場合です。

必要的弁護事件といいます

殺人事件などの重大な事件の場合には，被告人が十分に自分の利益を守ることができるようにして公正な裁判を実現するために，被告人に弁護人がいないと開廷(かいてい)することができないとされています（289 条 1 項）。

このような事件で被告人に弁護人が付いていない場合に，裁判所は弁護人を付けます（289 条 2 項）。もっとも，判例上厳格な要件のもとに例外も認められています。

以前の刑事訴訟法では，国選弁護人制度は被告人にのみ認められ，被疑者には認められていませんでした。それが 2004 年の法改正で，勾留されている被疑者に対する国選弁護人制度が導入されました。当初は対象となる事件が限定されていましたが，2016 年の法改正により，勾留状が発せられているすべての事件に認められることとなりました。

憲法 37 条：③刑事被告人は，いかなる場合にも，資格を有する弁護人を依頼することができる。被告人が自らこれを依頼することができないときは，国でこれを附(ふ)する。

●2●

## 検察官は怖い人？

Prosecuter

検察官は，検察庁に属する公務員です。

**検察官は，刑事訴訟において公訴の提起，裁判の執行の監督，捜査権限を有し**（検察庁法4条，6条，刑事訴訟法247条，191条），重要な役割を果たします。

すなわち，刑事訴訟の当事者の一方であり，訴追者として被告人とは対立関係にあります。ただ，あくまでも国家の代理人であって，被害者の代理人ではないことに注意してください。

検察官は訴追のための権限を独占しています（247条）。そして，起訴するかどうかについての裁量権を持っています。

起訴便宜主義

なお，検察機能をより効果的に発揮させるために，検察官は全体で一体として事務処理を行います。

検察官一体の原則

247条：公訴は，検察官がこれを行う。

191条：検察官は，必要と認めるときは，自ら犯罪を捜査することができる。

●3●
## 裁判官は真面目な人？

Judge

裁判官は刑事訴訟においては，有罪か無罪かなどの審理を行い，判決を行う役割を果たす公務員です。

また，捜査段階においては，捜査機関の請求する逮捕令状などの審査を行い，人権保障をはかることもその役割です。

裁判官は公正な裁判確保のために厳格に職権の独立と身分保障が図られています（憲法76条3項，78条，80条2項）。

また，偏った裁判をすることのない公平な裁判所を確保するために，除斥（20条）・忌避（21条1項）・回避（刑事訴訟規則〈以後たんに「規則」と書くこともあります〉13条）の制度が訴訟法上，認められています。これらの制度により，偏った裁判をするおそれのある裁判官は当該裁判にタッチできないことになります。

憲法76条：③すべて裁判官は，その良心に従い独立してその職権を行い，この憲法および法律にのみ拘束される。
憲法78条：裁判官は，裁判により，心身の故障のために職務を執ることができないと決定された場合を除いては，公の弾劾によらなければ罷免されない。裁判官の懲戒処分は，行政機関がこれを行うことはできない。
憲法80条：②下級裁判所の裁判官は，すべて定期に相当額の報酬を受ける。この報酬は，在任中，これを減額することができない。

## キオークコーナー0時間目

### [用語チェック]

| | |
|---|---|
| □ 刑事手続は〔①〕手続から〔②〕手続という流れで進行します。事件が裁判所にいってしまうまでを〔①〕手続，それ以後を〔②〕手続と呼びます。 | ①捜査<br>②公判 |
| □ 捜査手続は，次の4つにまとめられます。第一に〔③〕を探して集める手続，第二に証言を集める手続，第三に〔④〕を犯したと疑われる者を捕まえる手続，第四に〔⑤〕するか否かの判断手続です。 | ③証拠物品<br>④罪<br>⑤起訴 |
| □ 他方，公判手続は次のように分類されます。第一に〔⑥〕による犯罪事実があったか否かなどについての主張と〔⑦〕手続，第二に〔⑧〕，第三に〔⑧〕に不服のある検察官・被告人による上訴などです。 | ⑥被告人<br>⑦立証<br>⑧判決 |
| □ 刑事訴訟法においては，真実究明と〔⑨〕手続の要請の調和が，重要なテーマとなっています。刑事訴訟法1条も，「〔⑩〕の保障を全うしつつ，事案の真相を明らかにし」と刑事訴訟法の目的を述べています。 | ⑨適正<br>⑩基本的人権 |
| □ 刑事訴訟における主要な登場人物は，被疑者・被告人，弁護士（資格を有する弁護人），〔⑪〕，裁判官です。 | ⑪検察官 |
| □ 弁護人の選任には，〔⑫〕と〔⑬〕の2種類があります。 | ⑫私選弁護<br>⑬国選弁護 |
| □ 〔⑬〕は，3種類に区別されます。 | |

⑭被疑者・被告人
⑮裁判所
⑯必要的

第一に，〔⑭〕が請求する場合，第二に請求がなくとも〔⑮〕が自身の判断で選任する場合，第三に〔⑯〕弁護事件の場合です。

⑰検察庁

□　検察官は，〔⑰〕に属する公務員です。

⑱公訴

□　検察官は，刑事訴訟において〔⑱〕の提起，裁判の執行の監督，捜査権限を有します。

⑲被告人
⑳国家

□　検察官は，刑事訴訟の当事者の一方であり，訴追者として〔⑲〕とは対立関係にあります。ただ，あくまでも〔⑳〕の代理人であって，被害者の代理人ではありません。

㉑起訴便宜主義

□　検察官は，起訴するかどうかについての裁量権を持っています。これを〔㉑〕と言います。

㉒独立
㉓除斥

□　裁判官は公正な裁判確保のために厳格に職権の〔㉒〕と身分保障が図られています。偏った裁判をすることのない公平な裁判所確保のために，〔㉓〕，忌避，回避の制度が訴訟法上，認められています。

# 1時間目
# 刑事訴訟その1
# 捜査

▶ここで学ぶこと

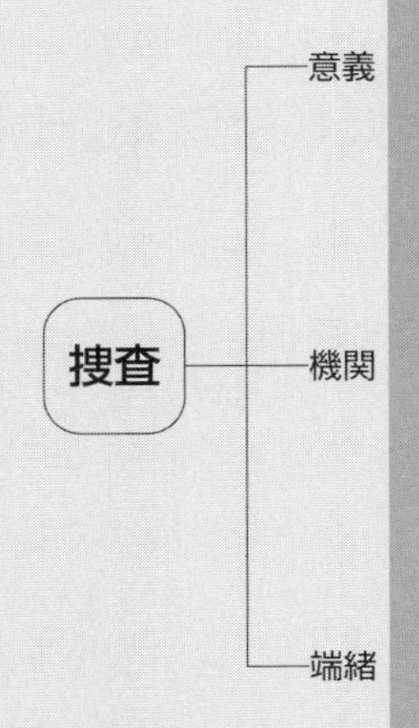

●0●
## 捜査とは何か?

捜査は，捜査機関が犯罪が存在すると考える場合，犯罪の有無などを明らかにするために，証拠を集め，犯人と思われる者を探し，必要があれば身柄を確保（逮捕・勾留）することです。

**捜査の構成要素**
**①証拠の収集**
**②犯人の探知**
**③犯人の身柄確保（逮捕・勾留）**

●1●
## 誰が捜査を行うのか?

主に，警察官と検察官が捜査を担当します。

刑事訴訟法上，警察官は「司法警察職員」と規定されています（189 条など）。

司法警察職員は，さらに司法警察員と司法巡査に区分されています。

司法警察員のほうが上位であり，通常逮捕状の請求（199 条2項）などの法で定められた重要な手続をすることができます。

なお，海上犯罪を取り締まる海上保安官，刑務所などを取り締まる法務事務官など，特別な場所や地域を職務の対象とする特別な警察官も存在します。

特別司法警察職員

**捜査を行う人**
**①警察官＝司法警察職員　　司法警察員・司法巡査**
**②特別司法警察職員　　海上保安官・法務事務官**

警察官と検察官の関係は，捜査を主に行うのが警察官で，補充的に行うのが検察官だと考えられています。条文上も，「司法警察職員は，犯罪があると思料するときは，犯人および証拠を捜査するものとする」（189条2項）とし，「必要と認めるときは」「検察官は……自ら犯罪を捜査することができる」（191条1項）としています。

検察官と警察官は，原則的にはそれぞれ独立の部署であり，対等な協力関係にあります（192条）。

もっとも，捜査の行き過ぎなどを防止し，公訴が円滑（えんかつ）に行えるように適切・公正な捜査を積極的に行うという観点から，検察官には警察官に対する次の3つの権限が与えられています。

**検察官の警察官に対する権限**
**①一般的指示権　捜査についての必要な指示を一般的な準則の形で行う（193条1項）**
**②一般的指揮権　捜査計画や方針についての一般的指揮（193条2項）**
**③具体的指揮権　個々の警察官への具体的指揮（193条3項）**

**刑事手続の流れ**
**捜査の端緒→捜査→公訴提起→公判手続→判決→刑の執行**

●2●
## 捜査の手がかり

では，なにがきっかけとなって捜査が始まるのでしょうか。

捜査は，犯人の自首，被害者の申告，第三者の協力，捜査機関の活動によって始まります。

**捜査の端緒**
**①犯人の自首**
**②被害者の申告**
**③第三者の協力**
**④捜査機関の活動**

### ❖犯人の自首

犯人が，捜査機関に「これこれの犯罪をしました」と自ら犯罪を申し出ることです。 なお、扱いは慎重です。245条

時々，新聞に「母親に説得されて自首」などという記事が載っていますね。

自首は，犯罪をおかしたことを捜査機関が知る前，または知っていてもまだ犯人が分かっていない場合ならば，刑の減軽事由となります（刑法42条）。

## ❖被害者の申告

被害者の申告などの場合として，まず，告訴があります。

**告訴は，被害者らが捜査機関に対して犯罪があったことを申告して，犯人の処罰を求める意思表示です**（230条以下参照）。

告訴があった場合，司法警察員は迅速に告訴に関する書類と証拠物を検察官に送らなければなりません（242条）。

そして，検察官は，起訴・不起訴の処分をしたことを，告訴人に通知しなければなりません（260条）。不起訴処分の場合には，なぜ不起訴処分なのか理由を告げなければなりません（261条）。

告訴は，名誉毀損罪（刑法230，232条）など告訴がなければ起訴できない犯罪について，特別の意義があります。

## ❖第三者の協力

第三者の協力の場合には，告発・請求があります。

告発は，犯人や被害者以外の者が，犯罪があったことを申告して，犯人の処罰を求める意思表示です（239条）。

公正取引委員会の告発（独禁法96条）などでは起訴が有効となるための訴訟条件として意義があります。

請求は，告発に似ていますが，外国国章損壊等（刑法92条）といった特定の犯罪について認められています。

さらに，これら以外に，被害届なども捜査のきっかけになります。

---

230条：犯罪により害を被った者は，告訴をすることができる。

## ❖捜査機関の活動

捜査機関の活動の場合には，まず，職務質問が挙げられます。

皆さんは，深夜に出歩いていて警察官に行き先や用件などをたずねられたことはありませんか。それが職務質問です。

職務質問は，挙動が怪しいなどの理由がある場合に，犯罪に関係しているかどうかを調べるため，警察官が相手を停止させて行う質問のことです。警察官職務執行法２条に規定があります。その要件は，次の通りです。

**職務質問をしてもよい相手**
**異常な挙動その他周囲の事情から合理的に判断して，**
**①何らかの罪を犯したと疑うに足りる相当な理由がある者**
**②罪を犯そうとしていると疑うに足りる相当な理由がある者**
**③既に行われた犯罪について知っていると認められる者**
**④犯罪が行われようとしていることについて知っていると認められる者**

職務質問は相手方の自由意思に任される任意手段ですが，判例は相手方を停止させる方法として「必要かつ相当」な範囲で実力行使を認めています。

さらに，職務質問にともなって所持品検査がなされる場合があります。

所持品検査は，相手が身につけている物を警察官が点検することです。

これについては，明文規定がありません。しかし，判例は，必要性，緊急性，相当性があれば，相手の承諾がなくとも，所持品検査を認めています。職務質問の規定を根拠としています。

また，自動車検問もあります。

犯罪の予防や犯人の検挙のために，自動車を止めて，車の点検や運転手への質問などの行為をすることです。

これには，交通違反の予防・検挙を主目的とする交通検問，犯罪一般の予防・検挙を主目的とする警戒検問，特定の犯罪が行われた場合に犯人の検挙などを目的として行われる緊急配備検問があります。

警察官職務執行法２条：①警察官は，異常な挙動その他周囲の事情から合理的に判断して何らかの犯罪を犯し，もしくは犯そうとしていると疑うに足りる相当な理由のある者，または既に行われた犯罪について，もしくは犯罪が行われようとしていることについて知っていると認められる者を停止させて質問することができる。
②その場で前項の質問をすることが本人に対して不利であり，または交通の妨害になると認められる場合においては，質問するため，その者に付近の警察署，派出所または駐在所に同行することを求めることができる。
③前２項に規定する者は，刑事訴訟に関する法律の規定によらない限り，身柄を拘束され，またはその意に反して警察署，派出所もしくは駐在所に連行され，もしくは答弁を強要されることはない。
④警察官は，刑事訴訟に関する法律により逮捕されている者については，その身体について凶器を所持しているかどうかを調べることができる。

## キオークコーナー1時間目

### [用語チェック]

| | |
|---|---|
| □ 捜査は，捜査機関が犯罪が存在すると考える場合，犯罪の有無などを明らかにするために，〔①〕を集め，犯人と思われる者を探し，必要があれば〔②〕を確保することです。 | ①証拠<br>②身柄 |
| □ 警察官と〔③〕が捜査を担当します。 | ③検察官 |
| □ 刑事訴訟法上，警察官は〔④〕と規定されています。〔④〕は，さらに司法警察員と〔⑤〕に区分されています。 | ④司法警察職員<br>⑤司法巡査 |
| □ 海上犯罪を取り締まる〔⑥〕，刑務所などを取り締まる〔⑦〕事務官など，特別な場所や地域を職務の対象とする特別な警察官も存在します。これらの警察官を〔⑧〕と呼びます。 | ⑥海上保安官<br>⑦法務<br>⑧特別司法警察職員 |
| □ 捜査は，犯人の〔⑨〕，被害者の申告，第三者の協力，捜査機関の活動によって捜査が始まります。 | ⑨自首 |
| □ 被害者の申告などの場合として，まず，〔⑩〕があります。〔⑩〕は，被害者らが捜査機関に対して犯罪があったことを申告して，犯人の処罰を求める意思表示です。これがあった場合，〔⑪〕は迅速に関係書類と証拠物を検察官に送らなければなりません。そして，〔③〕は，起訴・不起訴の処分をしたことを，〔⑩〕人に通知しなければなりません。〔⑫〕の場合には，なぜ〔⑫〕なのか理由を告げなければなりませ | ⑩告訴<br>⑪司法警察員<br>⑫不起訴処分 |

| | |
|---|---|
| | ん。〔⑩〕は，名誉毀損罪など〔⑩〕がなければ起訴できない犯罪について，意義があります。 |
| ⑬告発 | □　第三者の協力の場合には，〔⑬〕・請求があります。〔⑬〕は，犯人や被害者以外の者が，犯罪があったことを申告して，犯人の処罰を求める意思表示です。 |
| ⑭警察官 | □　職務質問は，挙動が怪しいなどの理由がある場合に，犯罪に関係しているかどうかを調べるために，〔⑭〕が相手を停止させて行う質問のことです。 |
| ⑮任意手段 | □　職務質問は相手方の自由意思に任される〔⑮〕ですが，判例は相手方を停止させる方法として「必要かつ相当」な範囲で実力行使を認めています。 |
| ⑯所持品検査<br>⑰職務質問 | □　さらに，職務質問にともなって〔⑯〕がなされる場合があります。〔⑯〕は，相手が身につけている物を警察官が点検することです。これについては，明文規定がありません。しかし，判例は，必要性，緊急性，相当性があれば，相手の承諾がなくとも，〔⑯〕を認めています。〔⑰〕の規定を根拠としています。 |
| ⑱自動車検問<br>⑲交通検問<br>⑳警戒検問<br>㉑緊急配備検問 | □　〔⑱〕は犯罪の予防や犯人の検挙のために，自動車を止めて，車の点検や運転手への質問などの行為をすることです。これには，交通違反の予防・検挙を主目的とする〔⑲〕や犯罪一般の予防・検挙を主目的とする〔⑳〕，特定の犯罪が行われた場合に犯人の検挙などを目的とする〔㉑〕があります。 |

# 2時間目
# 刑事訴訟その2
# 捜査の方法

▶ここで学ぶこと

# ①▶捜査の実際

どのように捜査が行われるのかを見ていきましょう。

捜査の性質には，以下のように，2種類あります。

**捜査の性質**

**①強制捜査　法で保障されている国民の権利・利益を，同意なく侵害するタイプ**

**②任意捜査　それ以外のタイプ**

また，捜査の対象は，以下の通りです。

**捜査の対象**

**①証拠物を収集する**

**②犯罪に関連する供述を収集する**

**③被疑者を捕まえる**

●1●
## 捜査の性質について

強制捜査(きょうせいそうさ)は，法が認める場合に，法が定める手続をふんだ場合にのみ行うことができます。　強制処分法定主義

国民の権利や利益を同意なく侵害する以上，手続による保護を図(はか)るべきだからです。　人権保障

しかし，手続をふんだ強制捜査に対しては，対象になった人は受忍義務を負います。

法は，任意捜査を捜査の原則だとしています（197条1項）。たとえば，刑事ドラマでおなじみの任意同行や参考人取調べ，尾行，おとり捜査などが任意捜査です。

任意捜査も必要かつ相当な限度を超えてはならないのは当然のことです。

もっとも，任意捜査の限界についてはそれをはっきり定めた法律の条文がなく，しばしば問題となります。

## ❖おとり捜査

この点，特によく問題となるのがおとり捜査です。

おとり捜査とは，捜査機関らがおとりとなって他人に犯罪を行うよう促し，犯罪を行ったところを逮捕するという捜査の一手法です。麻薬犯罪や覚せい剤取引において売人を逮捕する場合などに使われています。

この方法は，なかなか現場を押さえるのが難しいひそかに行われる犯罪について有効ですが，捜査機関がわなを仕掛けて犯罪を作り出す側面があることも否めず，アンフェアな捜査方法ではないかと問題になっています。

学説では，犯罪の機会を提供したに過ぎない場合と，犯罪を犯す意思がなかった者に犯罪を決意させる場合とを分けて，後者の場合には違法な捜査として公訴棄却すべき（338条4号）とするものもあります。

私もおとり捜査は好きではありません。しかし，麻薬犯罪などはなかなか逮捕しにくいのです。そもそも罪を犯す意思がなかったとしても，おとりにひっかかって犯罪を決意するようでは困ります。皆さんはどう思われますか。

## ②►証拠物の収集

捜査は，第一に証拠物を収集する場合，第二に犯罪に関連する供述を収集する場合，第三に被疑者を捕まえる方法，の3つに分けて考えることができます。

まず，証拠物を収集する場合についてみてみましょう。

### ●1● 捜索・差押え

強制捜査として，裁判官が出す令状による捜索・差押え（218条）があります。

**令状による捜索と差押え**

**①令状による捜索　令状記載の場所・人の身体・持ち物などについて，証拠物を探すこと。**

**②令状による差押え　捜索によって発見したものについて，捜査機関が占有を取得すること。**

令状が必要とされる趣旨は，裁判官によるチェック機能が働き，行き過ぎた捜索・差押えを防止して捜索・差押えにより侵害される権利・利益を保護する点にあります（司法による抑制）。

218条：①検察官，検察事務官または司法警察職員は，犯罪の捜査をするについて必要があるときは，裁判官の発する令状により，差押え，捜索または検証をすることができる。この場合において身体の検査は，身体検査令状によらなければならない。

これは憲法35条（**令状主義**）の要請でもあります。

裁判官は，捜査機関から令状が請求された場合に，次の要件を満たしていることを確認した上で，令状を発付（はっぷ）します。

**令状が出されるための条件**

**①被疑者が「罪を犯したと思料されること」**（規則156条1項）

**②捜査対象に証拠が存在する可能性が認められること**（102，222条参照）

**③捜索・差押えが相当かどうか**

令状には，次の事項が記載されます（219条）。

**令状に書かれること**

**①被疑者の氏名**

**②罪名（ざいめい）**

**③差押えの対象**

**④捜索の場所・身体など**

**⑤有効期間など**

憲法35条：①何人も，その住居，書類および所持品について，侵入，捜索および押収（おうしゅう）を受けることのない権利は，33条の場合を除いては，正当な理由にもとづいて発せられ，かつ捜索する場所および押収する物を明示する令状がなければ，侵（おか）されない。

なお，捜索の場所と押収する物の明示は憲法上要請されています。

押収＝差押え＋領置

令状を執行する場合は，執行される相手方に令状を示さなければなりません（110条，222条1項）。そして，執行にあたり，鍵を開けたり封を開いたりするなど必要な処分をすることができます（111条，222条1項）。

また，令状執行に際しては立会権が保障されています（114条，222条1項）。公務所が対象の場合はその長など，住居の場合はその主，などが立ち会います。

差し押さえた場合は，その物の目録を所有者などに交付しなければなりません（120条，222条）。また，捜索をしたが差押えがされなかった場合には，捜索を受けた者は捜索証明書の交付を請求できます（119条，222条）。

### ❖逮捕する場合の捜索・差押え

令状なくして捜索・差押えをすることができる場合も例外的にあります。

捜査機関は被疑者を逮捕する場合に，令状なしで人の住居などで被疑者を捜索することができ，また，逮捕現場で証拠の捜索・差押えをすることができます（220条1項1号，2号，憲法35条）。

その趣旨は，逮捕される者の逃亡を防止すること，逮捕現場には証拠が残っている可能性が高く，捜索・差押えの必要性が高いこと，現場の証拠はすぐに保全しないと破壊される恐れが大きいことなどがあります。

## ●2●
## 検証

検証とは，場所，物または人の形状や性質を視覚・聴覚などの五官の作用で認識する処分です（218条1項）。**「犯行現場」など占有を取得できない場合に，証拠物の形状などを認識して記録するために利用されています。**

五官＝五感（視覚・聴覚・嗅覚・味覚・触覚）を生じる5つの感覚器官。目・耳・鼻・舌・皮膚

検証の要件は，捜索・差押えの場合とほぼ同じで（222条1項・4～6項），令状が原則として必要です（218条）。

特に，人の身体を対象とする場合は身体検査令状という特殊な令状（218条1項）が必要とされています。

なお，検証も被疑者を逮捕する場合には，例外的に逮捕現場において，令状なしで行えます（220条，222条1項・7項）。

●3●
## 科学技術的方法

さらに，近年科学技術の進歩に伴って問題となっているのが，いわゆる，新しい捜査方法です。写真撮影・監視カメラ，最近ではGPS捜査などが問題となっています。

写真撮影や監視カメラにおいては，プライバシーの利益の侵害が問題となります。刑事訴訟法は法文上何も定めていません。プライバシーの利益を害するものだから強制処分であると考えると，法文で認められていない強制処分になり，許されないことになります。もっとも，裁判所は，必要性・緊急性・手段の相当性などを要件として，これらの捜査方法を認める傾向にあります。

一方，被疑者の車両にGPS端末を取り付ける捜査は強制処分に当たるというのが判例です。GPSはプライバシーが強く保護されるべき私的空間への移動をも把握するため，実施するには立法的な手当てが必要であるとしました。

## ❷ ▶ 犯罪に関連する供述の収集

犯罪についての情報を持っている人から情報を得るため，捜査機関は，その人に出頭してもらって取調べを行う権限を持っています。

これは，被疑者本人の取調べとそれ以外の第三者の取調べに分けることができます。

●1●
### 被疑者本人の取調べ

まず，被疑者本人の取調べから見てみましょう。

検察官などの捜査機関は，犯罪の捜査をするについて必要があるときは，被疑者の出頭を求め，取り調べることができます（198条1項）。

被疑者は取調べに対して黙秘権を保障され，捜査機関は取調べの際には，黙秘権について告知しなければなりません（198条2項）。

逮捕・勾留されていない場合は，取調べの場所は適切なところで構いません。

在宅取調べもあります

そして，これは任意手段なので，法律上は，被疑者がこれに応ずるか拒否するかは自由ですし，また出頭したとしても，いつでも退出して構いません。

198条：①検察官，検察事務官または司法警察職員は，犯罪の捜査をするについて必要があるときは，被疑者の出頭を求め，これを取り調べることができる。ただし，被疑者は，逮捕または勾留されている場合を除いては，出頭を拒み，または出頭後，何時でも退去することができる。

逮捕・勾留されている場合に，取調べのための出頭（しゅっとう）・滞留（たいりゅう）義務があるかについては争いがあります。 取調べ受忍義務

実務上は取調べのための出頭・滞留義務があると考えられています。逮捕・勾留中の取調べの必要性・実効性を主な理由とします。この場合，198条1項ただし書きを反対解釈することになります。

しかし学説には，出頭・滞留義務を否定する考え方があります。出頭・滞留の強制は黙秘権（憲法38条1項）を侵害する，ということを実質的な理由とします。この場合，198条1項ただし書きの解釈についてはいろいろ説がありますが，出頭拒否や退去があったとしても，逮捕・勾留の効力を否定することにはならないとする解釈を紹介しておきます。

捜査機関は，取調べの結果得られた被疑者の供述を，調書（ちょうしょ）にすることができます（198条3項）。そして，調書は被疑者に閲覧（えつらん）させ，読み聞かせて誤りがないかどうかを確かめます。このとき，被疑者が変更の申立てをした場合は，その供述を調書に記載しなければなりません（198条4項）。さらに，被疑者が調書に誤りがないことを認めた場合，取調官（とりしらべかん）は署名（しょめい）・押印（おういん）を求めることができます。もっとも，被疑者はこれを拒（こば）むこともできます（198条5項）。

## ❖取調べの可視化

取調べに弁護人が立ち会ったり、取調べの状況をすべて録画することを「取調べの可視化」と言います。

これまでの取調べでは，密室で警察・検察に脅迫され耐え切れず嘘の自白をしてしまったり、取調べで話したとおりに正しく調書が記録されず裁判で不利な扱いを受けるということが生じていました。無実であるのに犯罪者として扱われてしまう，

冤罪事件も起きました。

そこで2016年の法改正では，①裁判員裁判対象事件及び②検察官の独自捜査事件について，取調べの録音・録画を義務づける規定が設けられました（301条の2第4項）。

また，録音・録画が義務づけられるのは，逮捕・勾留されている被疑者の取調べに限ります。逮捕前の被疑者や参考人の取調べは対象外です。

### ❖参考人取調べ

捜査機関は，犯罪の捜査をするについて必要があるときは，被疑者以外の者の出頭を求め，これを取り調べることができます（223条）。

これは任意処分であって，出頭を拒んだり退去することももちろんできます。

供述調書などの取調べの方法については，被疑者の場合と同様です（223条2項）。

### ❖協議・合意制度

2016年の法改正により，いわゆる司法取引が導入されました。被疑者・被告人が他人の犯罪事実について供述してくれれば，検察官はその被疑者・被告人を不起訴にするなどの恩恵を与えるという旨の合意をするものです。

適用対象となる事件は一定の財政経済事件や薬物銃器事件に限られますが，従来の取調べでは供述を得にくかったこれらの事件での活用が期待されます。

### ❖証人尋問

以下のような場合には，検察官が裁判官に証人尋問（しょうにんじんもん）を請求し，第一回公判期日前に限り，強制的に証人尋問をすることができます。証人は，宣誓（せんせい）・供述義務（きょうじゅつぎむ）を負います。

**証人尋問ができる場合**

**①犯罪の捜査に欠くことのできない知識を有すると明らかに認められる者が，取調べのための出頭要求や供述を拒んだ場合（226条）**

**②参考人取調べに際して任意の供述をした者が，公判期日においては圧迫（あっぱく）を受けて前にした供述と異なる供述をするおそれがあり，かつその供述が犯罪の証明に欠くことができないと認められる場合（227条）**

この調書は，後に証拠能力が与えられます（157条1項・3項，228条1項）。

226条：犯罪の捜査に欠くことのできない知識を有すると明らかに認められる者が，223条1項の規定による取調べに対して，出頭または供述を拒んだ場合には，第1回の公判期日前に限り，検察官は，裁判官にその者の証人尋問（しょうにんじんもん）を請求することができる。

## ③ ▶ 被疑者を捕まえる方法

逮捕(たいほ)と勾留(こうりゅう)があります。

まず，逮捕から見てみましょう。

●1●
### 逮捕

**逮捕とは，被疑者を短時間身柄拘束(みがらこうそく)する処分**です。逃亡や犯罪の証拠隠滅(しょうこいんめつ)を防ぎ，捜査をすすめるためだけでなく，被疑者から弁解などの事情を聞くためでもあります。

逮捕には3種類あります。

**逮捕の種類**
**①通常逮捕**
**②現行犯逮捕**
**③緊急逮捕**

#### ❖通常逮捕

裁判官が発した令状（逮捕状(たいほじょう)）による逮捕です（199条）。

逮捕状は，検察官または司法警察員の請求によって発せられます。

199条：①検察官，検察事務官または司法警察職員は，被疑者が罪を犯したことを疑うに足りる相当な理由があるときは，裁判官のあらかじめ発する逮捕状により，これを逮捕することができる。…（後略）

逮捕状の発付（はっぷ）には，次の要件が必要です。

**逮捕状が出される条件**
**①被疑者が犯人だと合理的に疑われる相当の理由があること（199条1項）**
**②逮捕の必要性（逃亡または罪証隠滅（ざいしょういんめつ）のおそれがあること，規則143条の3），諸般の事情に照らして逮捕の相当性があること**

裁判官は逮捕の理由が認められれば，明らかに逮捕の必要がないと認める場合を除いて，令状を発付します（199条2項）。
逮捕状には，次の事項が記入されています（200条）。

**逮捕状に書かれること**
**①被疑者の氏名・住所**
**②被疑事実の要旨（ようし）**
**③引致（いんち）すべき場所**
**④有効期間など**

そして，逮捕をする際には，被疑者に逮捕状を示さなければなりません（201条1項）。

201条：①逮捕状により被疑者を逮捕するには，逮捕状を被疑者に示さなければならない。

もっとも，逮捕状を持っていなくても急速を要する場合には，被疑事実の要旨と令状が出ている旨を告知して逮捕することが可能です（201条2項，73条3項）。

### ❖現行犯逮捕

現行犯人（犯罪を行っている者，現に犯罪を行い終わった者）の逮捕のことです（212条1項）。

現行犯は誰でも令状なしで逮捕できます。

憲法が現行犯逮捕を令状なしで認めていることの訴訟法上の反映です（憲法33条）。

趣旨は，明らかに犯人である者を捕まえる必要性が高く，かつ，間違えて逮捕する可能性が低いからです。

この現行犯逮捕は，たとえば，コンビニ強盗に遭った店員もできますし，事件を目撃した通行人もできます。

簡単に逮捕できるため，その要件は厳格に考えるべきです。軽微犯罪の場合には，住所不定・氏名不詳の場合に限り現行犯逮捕できると法は規定しています（217条）。

さらに，法は，犯人と追呼されている者，贓物（盗品などのこと）・犯罪に使った凶器その他の物を所持している者，身体または着ている服に犯罪の明らかな跡がある者，誰何されて逃走しようとする者のいずれか1つに該当し，かつ犯罪を行い終わって間がないと明らかに認められる場合を準現行犯としています（212条2項）。

この場合も，現行犯同様に扱われます。

憲法33条：何人も，現行犯として逮捕される場合を除いては，権限を有する司法官憲が発し，かつ理由となっている犯罪を明示する令状によらなければ，逮捕されない。

### ❖緊急逮捕

死刑・無期・または長期3年以上の懲役・禁錮にあたる罪を犯したと充分に疑われ，かつ急速を要するために逮捕状を求める余裕がない場合にできる逮捕のことです。この場合，事後にすぐに逮捕状請求手続もしなければなりません（210条）。

この場合，令状なしに逮捕することができます。

これは憲法が認める令状主義の例外ではありませんが，現実の必要性の高さから規定されました。上の要件を満たす限りにおいて，判例は憲法の趣旨に反しないとしています。

### ❖逮捕後の手続き

私人（さきほどの例ではコンビニ店員）が現行犯人を逮捕した場合には，すぐに司法警察職員か検察官に引き渡さなければなりません（214条）。

司法巡査が，私人から現行犯人を受け取った場合や，自ら逮捕した場合には，すぐに司法警察員に引致（いんち）します（215条1項，202条，211条，216条）。

司法警察員がみずから被疑者を逮捕した場合，または私人や司法巡査から受け取った場合は，すぐに弁護の機会を与えます。すなわち，犯罪事実の要旨を告げ，弁護人が居ない場合には選任できる旨を告げます（203条1項，2項，211条，216条）。

210条：①検察官，検察事務官または司法警察職員は，死刑または無期もしくは長期3年以上の懲役もしくは禁錮にあたる罪を犯したことを疑うに足りる充分な理由がある場合で，急速を要し，裁判官の逮捕状を求めることができないときは，その理由を告げて被疑者を逮捕することができる。…（後略）

そして，留置の必要の有無を判断し，ないときにはすぐに釈放します。そして，必要があるときは，身柄（みがら）拘束した時点から48時間以内に，証拠物・書類および被疑者の身柄を検察官に送致（そうち）します（203条）。

受け取った検察官は，再び弁解の機会を与え，留置の必要の有無を判断し，必要がないときはすぐに釈放します。必要があるときは，身柄受け取り時点から24時間以内かつ最初の拘束から72時間以内に裁判官に勾留（こうりゅう）請求するか，または裁判所に公訴を提起しなければなりません。

それができない場合には，被疑者をすぐに釈放しなければなりません（205条）。

検察官がみずから逮捕した場合，検察事務官から被逮捕者を受け取った場合，検察官が私人から現行犯人を受け取った場合には，弁解の機会を与え，留置の必要の有無を判断し，必要がないときはすぐに釈放します。必要があるときは，被疑者が拘束された時点から48時間以内に裁判官に勾留請求するか，または裁判所に公訴を提起しなければなりません。

それができない場合には，被疑者をすぐに釈放しなければなりません（204条）。

## 2 勾留

逃亡または罪証隠滅（ざいしょういんめつ）を防止し，または将来の公判に備えて被疑者の身柄を確保するための裁判およびその執行です。

刑事訴訟法は，まず被告人の勾留（60条）について規定し，これを原則として被疑者に準用する（207条）ことで規律しました。

その要件は，次の3つです。

**勾留の要件**

①被疑者が犯罪を犯したことを疑うに足りる相当の嫌疑があり

②住所不定，逃亡，罪証隠滅を疑うに足りる相当の理由のどれか1つでもあること（60条1項，207条）

③勾留の必要性があること（87条1項，207条）

勾留は原則として逮捕が先行しなければなりません（207条）。その理由は，次のとおりです。

**逮捕前置主義の理由**

①通常逮捕・緊急逮捕の場合，2段階の司法審査により被疑者の人権保障が図られること

②短期間の身柄拘束である逮捕で足りない場合に勾留に進む方式が，捜査の迅速・柔軟性に適すること

### ❖勾留の手続

勾留は，逮捕された者のうち留置の必要がある者について，検察官が裁判官に請求して行われます（204条1項，205条1項）。

そして，裁判官は被疑者に被疑事実を告げて，それに対する意見陳述を聞く手続である勾留質問手続を行います（61条，207条）。この際に黙秘権や弁護人依頼権が告知されます。その後，裁判官は，勾留の理由があると認めるときは勾留状を発して行います。勾留の請求が不適法なときや，勾留の理由がないときは，勾留請求を却下し，すぐに被疑者の釈放を命じなければな

りません（207条2項）。

勾留期間は請求日から10日間です（208条1項）。ただ，やむをえない事情があるときは，10日間を超えない限り延長できます（208条2項）。

内乱罪など特別の事件については，さらに5日間を超えない限り延長できます（208条の2）。

## ●3● 逮捕・勾留をめぐる問題

### ❖別件逮捕勾留

まだ逮捕の要件が備わっていない本件について取り調べるためにすでに逮捕の要件が備わっている別件で逮捕・勾留することです。

これは，確かに重大事件について解明できることも多い有効な捜査方法ではあります。しかし，別件についての令状審査だけで，実質的には本件の捜査のために身柄拘束するというのは，令状主義に反するおそれがあります。また，本件についての自白を強要させやすく，かつそれが冤罪につながるおそれもある危険性も指摘されています。

この別件逮捕・勾留の適法性の判断基準については，争いがあります。

別件について逮捕・勾留の要件を満たしていればよいとする見解もありますが，これでは令状主義の規制が骨抜きとなってしまいます。

そこで，別件は名目上利用されているだけで実質上本件逮捕と言える場合（本件取調べ目的が明らかになったり，本件取調べがメインであったりした場合）には，その逮捕・勾留は違法であると考えられています。

### ❖再逮捕・再勾留の禁止

一旦釈放した被疑者を，同一被疑事実につき，ふたたび逮捕・勾留することは原則として許されません。

もっとも，新たな事情によって再び捜査する必要性があり，かつその必要性と被疑者の利益を比べて捜査の必要性が勝(まさ)り，かつ逮捕の不当な蒸し返しといえないときには，再逮捕・再勾留が認められます。

●4●
## 捜査における被疑者の防御

被疑者も，捜査段階において，自らの権利保障のために一定の防御活動を行うことが認められています。

次にあげるような権利が制度上認められています。以下，検討します。

### ❖黙秘権

被疑者は，一切の供述を拒(こば)むことができます。

### ❖弁護人依頼権

被疑者またはその配偶者・兄弟姉妹などの親族は，いつでも弁護人を請求できます（30条2項)。憲法34条の具体化でもあります。

30条：②被告人または被疑者の法定代理人，保佐人，配偶者，直系の親族および兄弟姉妹は，独立して弁護人を選任することができる。

またいわゆる当番弁護士制度は，各地方の弁護士会が運営しており，逮捕・勾留された被疑者の依頼があれば迅速に接見できるようにする制度です。

## ❖接見交通権

逮捕・勾留による身柄拘束中の被疑者が，弁護人と秘密かつ自由に接見する権利です（39条）。

その趣旨は，弁護人と相談して訴訟準備をしたり，相談や弁護士を通じて外界と接触し心理的安定をはかることにあると考えられています。また，憲法34条の弁護人依頼権を実質的に保障するためでもあります。

この権利に関して捜査の必要性との関係で問題となるのが接見指定です。

刑事訴訟法は，起訴前に限り，捜査のために必要があるときには，被疑者の防御権を不当に制限しない限りで捜査機関が接見などの日時・場所・時間を指定できるとしています（39条3項）。

この「必要」があるかどうかの判断基準として判例は，捜査の中断による支障が顕著であることを要件としています。たとえば，現に取調べ中である場合などです。

憲法34条：何人も，理由を直ちに告げられ，かつ，直ちに弁護人に依頼する権利を与えられなければ，抑留または拘禁されない。また，何人も，正当な理由がなければ，拘禁されず，要求があれば，その理由は，直ちに本人およびその弁護人の出席する公開の法廷で示されなければならない。

### ❖証拠保全

あらかじめ証拠を保全しておかなければその証拠を使用することが困難となる事情がある場合には，第一回公判期日まで裁判官に対して押収・捜索・証人尋問・鑑定を請求することができます（179条）。

もっとも，証拠保全された物は，弁護人のみならず検察官も閲覧・コピーすることができるので，被疑者側の手の内が筒抜けとなってしまうなど問題点も多く，現にあまり利用されていません。

●5●
## 捜査の終結

捜査が終了すると，次は公訴の段階に移ります。

**公訴は検察官の権限**です。そこで，司法警察員は，捜査後には事件について収集・作成した書類や証拠物を検察官に送致しなければなりません（246条）。

被疑者を逮捕している場合に，司法警察員が留置の必要があると考える場合には，拘束時から48時間以内に，その身柄を書類・証拠物と共に検察官に送致しなければなりません（203条）。

告訴・告発・自首事件の場合には，告訴・告発・自首の後，速やかに，これらに関する書類や証拠物を検察官に送付します（242条，245条）。捜査初期段階から検察官に関与させるためです。

検察官は，送致されてきた書類や証拠物を参考にして，起訴するか不起訴にするかを決定します。

**[用語チェック]**

|  |  |
| --- | --- |
| ①強制捜査<br>②任意捜査 | □ 捜査の性質には，〔①〕と〔②〕の2タイプあります。〔①〕は，法で保障されている国民の権利・利益を，同意なく侵害するタイプです。〔②〕は，それ以外のタイプです。 |
| ③尾行 | □ 法は，〔②〕を捜査の原則だとしています。たとえば，刑事ドラマでおなじみの任意同行や参考人取調べ，〔③〕，おとり捜査などが任意捜査です。 |
| ④証拠物<br>⑤被疑者 | □ 捜査は，第一に〔④〕を収集すること，第二に犯罪に関連する供述を収集すること，第三に〔⑤〕を捕まえること，の3つに分けて考えることができます。 |
| ⑥差押え | □ 〔④〕を収集する場合についてみてみましょう。強制捜査として，裁判官が出す令状による捜索・〔⑥〕があります。 |
| ⑦罪名<br>⑧有効期間 | □ 令状には，被疑者の氏名，〔⑦〕，差押えの対象，捜索の場所・身体，〔⑧〕などの事項が記載されます。 |
| ⑨検証 | □ 〔⑨〕とは，場所，物または人の形状や性質を視覚・聴覚などの五官の作用で認識する処分です。 |
| ⑩身体検査令状 | □ 特に，人の身体を対象とする場合は〔⑩〕という特殊な令状が必要とされています。 |
| ⑪写真撮影 | □ 〔⑪〕や監視カメラにおいては，プライバシーの利益の侵害が問題となります。 |

□　検察官などの捜査機関は，犯罪の捜査をするについて必要があるときは，被疑者の〔⑫〕を求め，取り調べることができます。

⑫出頭

□　被疑者は取調べに対して〔⑬〕を保障され，捜査機関は取調べの際には，〔⑬〕について告知しなければなりません。

⑬黙秘権

□　逮捕・勾留されていない場合は，取調べの場所は適切なところで構いません。そして，これは任意手段なので，法律上は，被疑者がこれに応ずるか拒否するかは自由ですし，出頭してもいつでも〔⑭〕することができます。

⑭退出

□　逮捕・勾留されている場合には，取調べのための〔⑮〕義務があるかについては争いがあります。〔⑯〕は取調べのための〔⑮〕義務があると考えられています。逮捕・勾留中の取調べの必要性・実効性を主な理由とします。一方学説には，〔⑮〕義務を否定する考え方があります。〔⑮〕の強制は黙秘権（憲法38条）を侵害することを実質的な理由とします。

⑮出頭・滞留
⑯実務上

□　取調べの結果得られた被疑者の供述を捜査機関は〔⑰〕にすることができます(198条3項)。そして，調書は〔⑱〕に閲覧させ，読み聞かせて誤りがないかどうかを確かめます。このとき，被疑者が変更の申立てをした場合は，その供述を調書に記載しなければなりません（198条4項)。さらに，〔⑱〕が調書に誤りがないことを認めたら取調官は〔⑲〕を求めることがで

⑰調書
⑱被疑者
⑲署名・押印

| | |
|---|---|
| | きます。もっとも，〔⑱〕はこれを拒むこともできます（198条5項）。 |
| ⑳勾留 | □　被疑者の身柄を拘束する方法には逮捕と〔⑳〕があります。 |
| ㉑現行犯逮捕<br>㉒緊急逮捕 | □　逮捕には通常逮捕，〔㉑〕，〔㉒〕の3種類があります。 |
| ㉓令状 | □　通常逮捕は，裁判官が発した〔㉓〕＝逮捕状による逮捕です。 |
| ㉔検察官 | □　逮捕状は，〔㉔〕または司法警察員の請求によって発せられます。 |
| ㉕被疑者 | □　逮捕状には〔㉕〕の氏名・住所，被疑事実の要旨，引致すべき場所，有効期間などの事項が記載されています。 |
| ㉖無期<br>㉗禁錮 | □　〔㉒〕は，死刑・〔㉖〕・または長期3年以上の懲役・〔㉗〕にあたる罪を犯したと充分に疑われ，かつ急速を要するために逮捕状を求める余裕がない場合にできる逮捕のことです。 |
| ㉘現行犯人<br>㉙検察官 | □　私人が〔㉘〕を逮捕した場合には，すぐに司法警察職員か〔㉙〕に引き渡さなければなりません。 |
| ㉚司法巡査 | □　〔㉚〕が，私人から現行犯人を受け取った場合や，自ら逮捕した場合には，すぐに司法警察員に引致します。 |
| ㉛罪証隠滅<br>㉜執行 | □　勾留は，逃亡または〔㉛〕を防止し，または将来の公判に備えて被疑者の身柄を確保するための裁判およびその〔㉜〕です。 |
| ㉝被疑者 | □　刑事訴訟法は，まず被告人の勾留（60条）について規定し，これを原則として〔㉝〕に準用しています。 |

□ 勾留の要件は，被疑者が犯罪を犯したことを疑うに足りる相当の嫌疑があり，〔㉞〕，逃亡，罪証隠滅を疑うに足りる相当の理由のどれか1つでもあること（60条1項，207条），そして勾留の必要性があること（87条1項，207条）です。

㉞住所不定

□ 勾留は原則として〔㉟〕が先行しなければなりません。これを〔㊱〕と言います。

㉟逮捕
㊱逮捕前置主義

□ 勾留は，逮捕された者のうち，留置の必要がある者について，検察官が〔㊲〕に請求して行われます。〔㊲〕は被疑者に被疑事実を告げて，それに対する意見を聞く手続である勾留質問手続を行います。この際に黙秘権や〔㊳〕が告知されます。その後，〔㊲〕が勾留の理由があると認めるときは〔㊴〕を発します。勾留の請求が不適法なときや，勾留の理由がないときは，勾留請求を却下し，すぐに被疑者の〔㊵〕を命じなければなりません。

㊲裁判官
㊳弁護人依頼権
㊴勾留状
㊵釈放

□ 勾留期間は請求日から〔㊶〕日間です。ただ，やむをえない事情があるときは，〔㊷〕日間を超えない限り延長できます。内乱罪など特別の事件についてはさらに〔㊸〕日間を超えない限り延長できます。

㊶10
㊷10
㊸5

□ 別件逮捕勾留は，まだ逮捕の要件が備わっていない〔㊹〕について取り調べるためにすでに逮捕の要件が備わっている〔㊺〕で逮捕・勾留することです。〔㊹〕についての〔㊻〕を強要させやすく，かつそれが〔㊼〕につながるおそれもある危険性が指

㊹本件
㊺別件
㊻自白
㊼冤罪

摘されています。

⑱被疑

□　いったん釈放した被疑者を同一〔⑱〕事実につきふたたび逮捕・勾留することは原則として許されません。

⑲当番弁護士

□　〔⑲〕制度は，各地方の弁護士会が運営しており，逮捕・勾留された被疑者の依頼があれば迅速に接見できるようにする制度です。

⑳弁護人

□　接見交通権は，逮捕・勾留による身柄拘束中の被疑者が〔⑳〕と秘密かつ自由に接見する権利です。

㉑検察官

□　捜査が終了すると，公訴の段階に移ります。公訴は〔㉑〕の権限です。そこで，司法警察員は捜査後には，事件について収集・作成した書類や証拠物を〔㉑〕に送致しなければなりません。

㉒48

□　被疑者を逮捕している場合で，司法警察員が留置の必要があると考える場合には，拘束時から〔㉒〕時間以内に書類・証拠物と共に検察官に送致しなければなりません。

# 3時間目 刑事訴訟その3 公訴

▶ここで学ぶこと

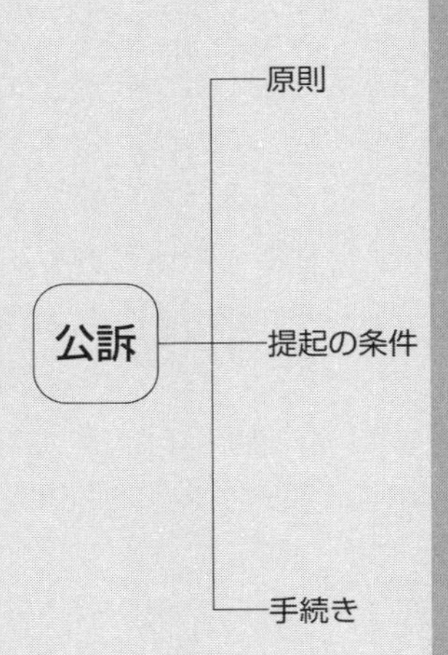

●1●
# 起訴すべきかどうかの判断

## ❖起訴独占主義・起訴便宜主義とそれに対する抑制

刑事訴訟において，起訴は検察官によってのみ行われるのが原則です（247条）。国の公務員である検察官だけが起訴の権限を持っているので，国家訴追主義・起訴独占主義が現行法上採られているといえます。

検察官が，証拠が充分でない，起訴猶予すべきである，または以下に触れる訴訟条件を満たさない，と考えた場合には不起訴処分とします。

特に，起訴猶予は，検察官が訴訟条件を満たし証拠が充分であると考えても，犯人の情状などから起訴の必要がないと考えられるときには，検察官は起訴しないことができるというルールです（248条）。このような建前を起訴便宜主義といいます。

これは柔軟に訴追権限を運用することで，具体的妥当性を追及して軽微な犯罪を犯した者に犯罪者のラベリングを回避できるという利点があります。 レッテルを貼る、らく印を押す

もっとも，同じような事件でも起訴されたり不起訴となったりという不公平が生ずることが問題となりますし，検察官の裁量権の濫用につながりやすいという批判もされています。

これに関して，不当な不起訴を抑制するために検察審査会制度などがあります。国民の中から選ばれた検察審査員が，不起訴処分の是非について審査します。審査の結果「起訴相当」の議決がなされると，検察官は事件を再検討しなければなりません。その後，検察官が再度不起訴処分をした場合には，検察審査会は「起訴議決」をすることができ，裁判所が指定した弁護士によって被疑者が起訴されます。

●2●
## 訴訟条件を満たしているか

起訴すべきと検察官が判断したとしても，次に事件が訴訟条件（そしょうじょうけん）をそなえていることが必要です。訴訟条件とは，裁判所が審理・判決をして有罪または無罪の実体裁判（じったいさいばん）をするための条件です。

訴訟条件の種類は，次のとおりです。

**訴訟条件**
**①管轄（かんかつ）違いでないこと（事件が適切な裁判所に係属していること）**
**②被告人が生存していること**
**③親告罪につき告訴があること**
**④公訴時効が完成していないこと，など**

これらを欠くときには，管轄違いの判決（329条），公訴棄却の決定・判決（338条・339条，上の黒板の②・③の場合），免訴判決（337条，上の黒板の④の場合）がそれぞれなされます。

### ❖公訴時効

ここで，訴訟条件の1つである公訴時効（こうそじこう）（250条，337条4号）について触れておきます。

公訴時効は，一定期間訴追されていないという事実を尊重し，犯罪の社会的影響が減少しているという実体法的観点と，時間の経過によって証拠が散逸（さんいつ）して審理が困難になるという訴訟法的観点から，設けられたものです。

時効期間は法定刑の重さに従って決められています（250条）。そして，犯罪行為が終わったときから時効は進行します（253条1項）。

ただし，平成22年の改正で，最高刑が死刑の殺人や強盗殺人は時効が廃止されています。

公訴時効は刑法で規定されている刑の時効（刑法31条）とは別物です。**刑法の時効の完成は，確定した刑の執行を消滅させる効果がありますが，この公訴時効の完成は，訴訟条件を欠かせ，検察官による訴追をできなくさせる効果があります。**

●3●

## 公訴提起の手続

### ❖起訴状一本主義

訴訟条件を満たし，検察官が訴追すべきと判断すれば，裁判所に起訴状（きそじょう）を提出して起訴を行います（256条1項）。

起訴状には，次の事項を記載しなければなりません（256条2項）。

**起訴状に書かれること**
**①被告人の氏名その他被告人を特定するに足りる事項**
**②公訴事実（訴追されている犯罪事実）**
**③罪名**

刑法31条（刑の時効）：刑（死刑を除く。）の言渡しを受けた者は，時効によりその執行の免除を得る。

他にも，刑事訴訟法では要求されていませんが，刑事訴訟規則上，被告人が逮捕・勾留されている場合には，その旨を記載しなければなりません（刑事訴訟規則164条1項2号）。

なお，公訴事実については，「訴因を明示」して記載しなければなりません。「訴因を明示」するとは，できる限り日時・場所・方法を示して罪となるべき事実を特定しなければならないということです（256条3項）。

**訴因とは，特定された犯罪事実だと考えられます。**

特定が要求される趣旨は，裁判所に求める審判の対象と範囲を示すと共に，被告人に裁判での防御の範囲を示すことにあると考えられています。

起訴状には，裁判官に事件につき予断を生じさせるおそれのある書類その他の物を添付したり，その内容を引用してはなりません（256条6項）。

このことを「起訴状一本主義」といいます

その趣旨は，裁判の前に裁判官に有罪の心証を抱かせて，中立な裁判所による「公平な裁判所」（憲法37条1項）の実現を阻んではならないからです。

この趣旨を徹底するために，被告人の前科・経歴・悪性格などを記載することも，訴因の明示に必要な場合以外は禁止されると考えられています。

●4●
## 即決裁判手続

平成16年の法改正によって，即決裁判手続に関する規定が新しく定められました（350条の16以下）。争いのない簡易明白な事件について，被疑者の同意がある場合には，検察官は公訴の提起と同時に，即決裁判手続の申立てをすることができます。

この申立てがあった場合には，できるだけ早い時期に公判期日を開き，簡易な方法で証拠調べを行い，原則として即日判決を言い渡すことになります（350条の28）。即決裁判手続で懲役や禁錮の言渡しをする場合には，その刑の執行猶予の言渡しをしなければなりません（350条の29），また，罪となるべき事実の誤認を理由とする控訴をすることはできなくなります（403条の2）。

**[用語チェック]**

| | |
|---|---|
| ①検察官<br><br><br><br>②不起訴処分<br>③検察審査会制度 | □ 刑事訴訟において，起訴は〔①〕によってのみ行われるのが原則です。〔①〕が，証拠が充分でない，起訴猶予すべきである，または以下に触れる訴訟条件を満たさない，と考えた場合には〔②〕とします。不当な不起訴を抑制するために，〔③〕などがあります。 |
| ④訴訟条件 | □ 起訴すべきと検察官が判断したとしても，次に事件が〔④〕を満たしていることが必要です。〔④〕とは，裁判所が審理・判決をして有罪または無罪の実体裁判をするための条件です。 |
| ⑤違い<br>⑥棄却 | □ 〔④〕を欠くときの裁判所の対応としては，第一に管轄〔⑤〕の判決，第二に公訴〔⑥〕の決定・判決，第三に免訴判決があります。 |
| ⑦公訴時効<br><br><br>⑧時効 | □ 〔④〕の1つである〔⑦〕は，一定期間訴追されていないことと，被告人の地位の安定を尊重するための制度だと考えられます。〔⑧〕期間は法定刑の重さに従って決められています。そして，犯罪行為が終わったときから〔⑧〕は進行します。 |

□〔⑨〕には，次の事項を記載しなければなりません。第一に被告人の氏名その他被告人を特定するに足りる事項，第二に訴追されている犯罪事実である〔⑩〕，第三に〔⑪〕です。〔⑩〕については，〔⑫〕を明示して記載しなければなりません。〔⑫〕を明示するというのは，できる限り日時・場所・方法を示して罪となるべき事実を特定しなければならないということです。

□〔⑨〕には，裁判官に事件につき予断を生じさせるおそれのある書類その他の物を添付したり，その内容を引用してはなりません。このことを〔⑬〕と呼んでいます。

⑨起訴状
⑩公訴事実
⑪罪名
⑫訴因
⑬起訴状一本主義

# 4時間目
# 刑事訴訟その4
# 公判手続

▶ここで学ぶこと

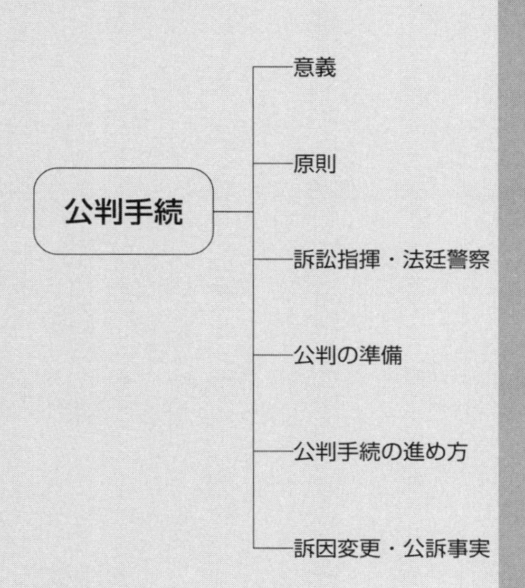

# ❶▶公判手続とは何か

●0●

## 有罪―無罪への結論に向かって

公判手続とは，捜査の結果，検察官が事件を起訴してから裁判所が審理・判決を行うまでの手続のことです。

犯罪事実の認定は，公判期日での手続において行われなければなりません。

なぜなら，公判手続は，中立公平な裁判所の公開法廷において，検察官と被告人の二当事者がそれぞれ主張し，それぞれの主張を裏付ける証拠を出し合って，口頭で弁論を展開することが予定されている手続なのです。

そして，この手続によって被告人の人権保障をはかりつつ，事件の真相究明を図ることができると考えられているからです。

これをまとめると次のようになります。

**公判手続の公判中心主義**
**→被告人の人権保障と真相究明の調和**
**①公開法廷**
**②口頭主義**
**③直接主義**

憲法82条：①裁判の対審および判決は，公開法廷でこれを行う。

●1●
## 公開法廷

法廷を国民の監視下におき，裁判の公正さを担保するためです。憲法82条，37条1項で宣言されています。

これは，原則として国民が刑事裁判を傍聴(ぼうちょう)することが可能であるということです。さらに傍聴人がメモをとることについては憲法21条1項の精神に照らして可能だとされています。もっとも，法廷での写真撮影・録音・放送には，裁判所の許可が必要です（刑事訴訟規則215条）。

公開の例外としては，公序良俗違反といった一定の要請がある場合について，憲法82条2項が定めています。

事件が終結し，確定した訴訟記録は，誰でも閲覧することができます（53条1項）。もっとも，訴訟記録の保存または裁判所・検察庁の事務に支障があるときは，閲覧することができません（同条項ただし書き）。

なお，公開規定に違反したことは絶対的控訴理由となります（377条3号）。

●2●
## 口頭主義

当事者の主張立証を，口頭(こうとう)で行わなければならないという原則です。

その趣旨は，裁判官に対して鮮明な印象を与えて正しい事実認定をさせることにあります。

判決は口頭弁論に基(もと)づくと規定されています（43条1項）。

また，証拠書類取調べは朗読(ろうどく)するとされています（305条）。

憲法37条：①すべて刑事事件においては，被告人は，公平な裁判所の迅速(じんそく)な公開裁判を受ける権利を有する。

●3●
## 直接主義

直接主義には以下の2つの意味があります。

**直接主義の意味**
**①裁判の基礎は，裁判官自身が直接取り調べた証拠によらなければならない。**
**②裁判の基礎は，裁判官の目の前でされた供述証拠，物的証拠といったオリジナルの証拠によらなければならない。**

原供述

●4●
## 迅速な裁判

刑事訴訟が迅速(じんそく)でないならば，時間の経過とともに証拠が散逸(さんいつ)してしまうと同時に，被告人にとっての手続的負担は一層重くなってしまいます。

憲法は，迅速な裁判を被告人の権利として保障しています(憲法37条)。

刑事訴訟法も，「刑罰法令を適正かつ迅速に適用実現する」（1条）として，公判期日変更の制限（276条）や連日的開廷の確保（281条の6）などの規定を置いています。

そして，審理が著しく遅れて，迅速な裁判を受ける権利が害されて憲法違反ともいうべき状況になった場合，免訴(めんそ)による訴訟打ち切りがなされると考えられています。

判例：高田事件

## ②▸訴訟指揮と法廷警察権

●1●
### 訴訟指揮権

訴訟指揮権（そしょうしきけん）とは，適切な訴訟進行のために，裁判所が手続の進行をコントロールする権限です。

訴訟指揮権は，公判期日においては，原則として裁判長が行います（294条）。

●2●
### 法廷警察権

適切な訴訟進行のために，法廷の秩序を維持する権限です。

裁判長または開廷をした1人の裁判官が行使します（288条2項，裁判所法71条1項）。

この権限は，法廷の秩序を維持するために必要な事項を命じ，または処置をする権限です。

「出て行け」「話すな」など

裁判所による法廷警察権（ほうていけいさつけん）の命令に違反した場合，次のような制裁があります。

**法廷警察権の命令違反に対する制裁**
**①監置（かんち）**
**②過料（かりょう）（法廷等の秩序維持に関する法律）**
**③審判妨害罪（しんぱんぼうがいざい）（裁判所法73条）**

## ③ ▸ 公判はどのようにして行われるのか

●1●
### 公判の準備

第1回公判期日前に行う訴訟準備

裁判が充実した集中審理により適正迅速に行われるためには，事前の準備が不可欠です。

憲法上も，裁判には「迅速さ」が求められていましたよね！

まず，裁判の準備について検討しましょう。

#### ❖当事者による準備

検察官と被告人

訴訟関係人は，証拠の収集と整理をして，訴訟が迅速に行われるよう準備しなければなりません（刑事訴訟規則178条の2）。

特に弁護人は，被告人らに面接するなどして事実関係を確かめておく必要があります（同法178条の6第2項1号）。

検察官・弁護人は，取調べ請求を予定する証拠書類・証拠物については，公訴提起後なるべく速やかにその閲覧の機会を与えなければなりません（証拠開示，同条第1項1号，2項3号）。

そして，相手方が閲覧の機会を与えた証拠類について，証拠とすることに同意するか，取り調べることに異議がないか，速やかに相手方に通知しなければなりません（同条第1・2項）。

**公判の構図**

裁判所

検察官　主張と立証→　×　←反論と反証　被告人

### ❖証拠開示をめぐる問題点

この点につき，刑事訴訟規則178条の6以外の証拠開示の可否が問題となります。

一方の当事者が持っている証拠であっても，それについて取調べ請求を予定していない場合には，178条の6の証拠調べの対象にはなりません。しかし，国家権力を行使できる検察官と比べて，対等当事者とされる被告人の証拠収集能力はあまりにも貧弱です。そこで，被告人が，検察官の手持ちの証拠を用いて，公判の準備をする必要性があります。

そこで，裁判所は，訴訟指揮権に基づいて，上記のような証拠を，一定の場合に，検察官に対して被告人側に閲覧させるよう命ずることができる，と考えられています。

判例は，この「一定の場合」とは，「証拠調べの段階に入った後，具体的必要性を示した弁護人からの申し出があった場合に，その証拠の種類・内容などに照らして被告人の防御のためにとくに重要であり，これにより罪証隠滅・証人威迫などの弊害のおそれがなく，相当と認められる場合」としています。

### ❖裁判所による準備

これには次のものがあります。

**裁判所が行う公判の準備**
**①公判の一方当事者である被告人の出頭を確保するための手続**
**②手続上の準備作業**
**③公判前整理手続（平成16年改正で新設）**

被告人の出頭を確保する方法には以下の3種類があります。

**被告人の出頭確保**
**①召喚（しょうかん）**
**②勾引（こういん）**
**③勾留（こうりゅう）と保釈（ほしゃく）**

### ❖召喚

**召喚とは，召喚状（しょうかんじょう）を発し，一定の猶予期間を置いて，裁判所などの一定の場所への出頭を命ずる裁判です**（57条，62条，規則67条）。

もっとも，裁判所にすでにいる被告人に対しては，口頭で公判期日を告げれば召喚同様の効果があります（274条）。

公判期日には，原則として被告人は召喚されます（273条2項）。

召喚や次に説明する勾引は，被告人だけでなく証人の出頭確保手段としても利用されます。

### ❖勾引

**勾引とは，勾引状（こういんじょう）を発して，被告人・証人などを一定の場所に引致（いんち）する裁判，およびその執行です**（58条，62条）。

被告人が召喚に従わない場合や，その危険性がある場合，勾引することができます。住所不定の場合や出頭命令などに応じない場合も，勾引することができます（58条，68条）。

勾引された被告人に対しては，すぐに次の事項を告知しなければなりません。

**勾引された被告人に告知すべきこと**
**①公訴事実の要旨**
**②弁護人選任権**
**③国選弁護人選任請求権（76条1項）**

勾引されたときから24時間以内に勾留状が発せられた場合以外は，釈放されなければなりません（59条）。

### ❖勾留と保釈

**勾留（こうりゅう）とは，被告人を身柄拘束する裁判およびその執行です。**

その要件・内容は，被疑者の勾留の要件の場合と同様です。

被疑者が勾留中に起訴されると，当然に被告人の勾留となります。

逮捕後，勾留前の被疑者が起訴されると，裁判官が勾留質問を行い，職権で勾留するかどうかを決定します（280条）。

勾留期間は，起訴の日から2か月です（60条2項）。

このような勾留からいったん解放される制度が保釈（ほしゃく）（88条～94条）と勾留の執行停止（95条）です。

その趣旨は，裁判中は無罪推定が働いている被告人の身体の自由の拘束を，できるだけ回避するということです。

保釈は，勾留を維持しながらも被告人をひとまず釈放するという制度です。釈放に際しては，保証金を納付させ，不出頭の場合には保証金を没収する，というシステムです。

保釈には，次の2種類があります。

**保釈**
**①権利保釈**（88条）　**勾留されている被告人本人や親族らの請求で行われる**
**②裁量保釈**（90条）　**裁判所が職権（しょっけん）で行う**

請求があれば原則として保釈することになっています。しかし，一定の罪名・前科・罪証隠滅の恐れなどの保釈除外事由が存在する場合，保釈されません（89条）。

勾留の執行停止は，保釈とは違い，保証金の納付は不要です。これは裁判所が，適当と認める一定の場合に職権で行います（95条）。

### ❖手続上の準備作業

裁判所は，裁判所書記官に命じて，検察官または弁護人に訴訟の準備の進行に関し，問い合わせまたはその準備を促す処置をとらせることができます（刑事訴訟規則178条の9）。さらに検察官や弁護人を出頭させて，訴訟進行上の打ち合わせをすることもできます（刑事訴訟規則178条の10）。

### ❖公判前整理手続（こうはんまえせいりてつづき）

平成16年の法改正で，公判前における争点・証拠の整理手続の制度が新しく定められました。

裁判所は，第1回の公判期日前に，決定によって，事件の争点や証拠を整理するための公判準備として，事件を「公判前整理手続」に付することができるようになりました（316条の2）。そして証拠の開示に関する裁定や事件の争点の整理，また公判期日に取り調べる証拠やその順番を，裁判所が決定していきます（316条の5など）。

●2●
## 公判手続の進め方

被告人が有罪か無罪か判断する審理手続が実施されます。

次のような流れとなります。

**公判手続の流れ**
**①冒頭手続**
**②証拠調べ手続**
**③弁論手続**
**④判決**

以下，順に検討します。

●3●
## 冒頭手続

審理手続で最初に行われる手続の総称です。

**冒頭手続で行われること**

**①裁判長による人定質問**

裁判長が、被告人に対し、氏名などを質問して人違いでないかどうかを確かめること 規則196条

**②検察官による起訴状の朗読**（291条1項）

**③裁判長による被告人への黙秘権告知**

**質問への回答を拒否したり終始発言を拒むことができるが，法廷で話したことは自分に有利な証拠にも不利な証拠にもなる旨を伝えます**（291条3項，刑事訴訟規則197条）。

その後，裁判長は被告人・弁護人に対して事件について陳述する機会を与えます（291条2項）。この際に，被告人らは公訴事実を認めるのか否かを述べたり，公訴時効のような訴訟条件の具備について申し立てたりすることができます。

●4●
## 証拠調べ手続

冒頭手続（291条）が終わった後，証拠調べに入ります（292条）。

### ❖冒頭陳述

まず，検察官は証拠により証明しようとする事実を明らかにしなければなりません（296条，冒頭陳述）。

これは，今後，検察官がどのような事実を，どのような証拠で証明するのかを，裁判所と被告人側に示す制度です。

たとえば「被告人AはBを殺害した」など。

たとえば凶器とされる包丁など。

ただ，証拠とできない資料，または証拠調べ請求をする意思のない資料に基づいて，裁判所に偏見・予断を生じさせるおそれのある事項を述べてはなりません（296条ただし書き）。

なお，検察官の冒頭陳述後，裁判所は，被告人・弁護人にも冒頭陳述を許すことができます（刑事訴訟規則198条1項）。

### ❖証拠調べ請求

原則として，証拠調べは，当事者の請求によって行われます（298条1項）。

裁判所による職権証拠調べは，補充的に行われるに過ぎません。現行法が当事者主義を前提としている以上は当然です。

検察官はまず，事件の審判に必要と認めるすべての証拠の取調べを請求しなければなりません（刑事訴訟規則193条）。特に，不一致供述を内容とする検察官面前調書のうち，321条1項2号後段で証拠とできる調書については，検察官は必ずその取調べを請求しなければなりません（300条）。

その後，被告人または弁護人は，証拠取調べ請求をすることになります（刑事訴訟規則193条2項）。

もっとも，被告人の供述書・供述録取書が自白である場合は注意を要します。他の証拠の公判準備段階または公判廷の供述につき，その内容が被告人の自白を内容とする場合には，他の証拠が取り調べられた後でなければ，取調べ請求はできません（301条，322条，324条）。

これは，自白の危険性に鑑みて，他の証拠を優先させるという趣旨です。

なお，当然ながら取調べを請求する証拠につき，あらかじめ相手方に対して，証人などの場合には氏名や住所を知る機会を与え，証拠書類などの取調べの際には閲覧する機会を与えなければなりません（証拠開示，299条1項，刑事訴訟規則178条の6・7）。

### ❖証拠決定

証拠決定は，証拠調べの請求に対して，裁判所がその証拠の採否の決定をすることです（刑事訴訟規則190条1項）。証拠決定をするに当たっては，裁判所は被告人・検察官の意見を聴いておかなければなりません（刑事訴訟規則190条2項）。

そして，証拠能力を検討するために，必要な限度で，訴訟関係人に，証拠書類と証拠物の提示を命ずることができます（刑事訴訟規則192条）。

## ●5●
## 証拠調べの実施

人を対象とする場合，物を対象とする場合に大別することができます。

黒板を見てください。

**証拠調べの実施**

**①人を対象とする場合：**

**尋問（304条，証人尋問・鑑定人尋問・通訳人尋問・翻訳人尋問），被告人質問**

**②物を対象とする場合：**

**書類の場合――朗読（305条），**

**それ以外の物の場合――展示（306条1項）**

### ❖人を対象とする証拠調べ⑴尋問

証人・鑑定人・通訳人・翻訳人への証拠調べの方法を検討しましょう。

当事者主義をとっている現行法の下では，まず，検察官・被告人・弁護人が尋問し，その後に裁判官が尋問する方式をとっています。

304条1・2項のように
裁判官が先に尋問するやり方を
実務は取っていません

交互尋問と呼ばれる順番で尋問します。

**交互尋問**

**①主尋問　証人に対して尋問を行うことを請求した者が行う**

**②反対尋問　相手方当事者が行う**

**③再主尋問　証人の尋問を請求した者が行う**

この主尋問においては，立証すべき事項と関連事項について行われます（刑事訴訟規則199条の3）。

ここで禁止されるのが誘導尋問（ゆうどうじんもん）です（刑事訴訟規則199条の3第3項）。

誘導尋問は，尋問者が狙（ねら）っている答を暗示する尋問です。

反対尋問は，主尋問で現れた事項および関連事項と証人の供述の証明力を争うために，必要な事項について行われます（199条の4第1項）。

なお，検察官，被告人，弁護人は証拠調べについて異議を申し立てることができます（309条1項）。

異議申立てに対しては，裁判所は遅滞（ちたい）なく決定をしなければなりません（309条3項，刑事訴訟規則205条の3）。

刑事裁判ドラマで「異議あり！」「異議を認めます」「先ほどの検察官の質問は誘導尋問です！」とやっていますね。これは当事者に対して，相手方の行為について不服がある場合に，当事者に申立ての機会を与えることで，適切な手続を維持しながら，裁判を進行させることを目的としています。

### ❖人を対象とする証拠調べ⑵被告人質問（ひこくにんしつもん）

被告人に，当該事件についての供述を行わせることです。

裁判長は，被告人が任意に供述する場合においては，いつでも必要とする事項につき，被告人の供述を求めることができます（311条2項）。

検察官，弁護人，共同被告人またはその弁護人，陪席（ばいせき）裁判官は，裁判長に告げて被告人の供述を求めることができます（311条3項）。

### ❖被害者参加

平成 19 年，犯罪被害者の権利利益の保護を図るための刑事訴訟法等の改正が行われ，被害者が刑事裁判に参加できる制度が成立しました（316 条の 33 以下）。

この被害者参加制度により，検察官や裁判官の許可があれば，犯罪被害者自身が直接被告人に質問することができるようになりました。

また，被害者が直接証人尋問をしたり，意見を述べたり，求刑することも可能です。

### ❖物を対象とする証拠調べ

次の 2 つがあります。

**物を対象とする証拠調べ**
**①書類の場合**
**②それ以外の物の場合**

●6●
## 弁論手続

次のような流れで進行します。

**証拠調べの終了⇒弁論手続（べんろんてつづき）**
**＝論告（求刑）→弁論→被告人の最終陳述→結審**

証拠調べが終わった後，まず，検察官による論告(ろんこく)がなされます。

検察官は，事実および法律の適用について，意見を陳述しなければなりません（293条1項）。

ここで，いわゆる求刑がなされます。

被告人，弁護人も意見を述べることができます。（弁論，293条2項）。

被告人・弁護人に対しては，最終的に意見を陳述する機会を与えなければならないとされています（被告人の最終陳述，刑事訴訟規則211条）。

その後，結審(けっしん)となります。

結審後は，判決手続に移ります。

有罪・無罪判決など

なお，結審した後でも，裁判所が適当と認める場合には，検察官・被告人・弁護人の請求または職権で，終結した弁論を決定で再開することができます（313条1項）。

●7●
## 訴因変更について

訴因変更(そいんへんこう)とは何でしょうか。

検察官と被告人が対立して主張立証し，手続を進める当事者主義の現行法においては，検察官が起訴状に記載する犯罪事実である「訴因」が，裁判所による審判の対象になります。

訴因というコトバは3時間目に出てきましたね

では，**この訴因を，訴訟の途中で変更することができるか，というのが訴因変更の問題**です。

刑事訴訟法は，訴因変更を予定した規定を置いています（312条1項）。

検察官と被告人が攻撃防御を繰り広げる中で，起訴後に新証拠が発見され，起訴状記載の訴因とは異なる犯罪事実が証明されてしまうことがあります。この場合でも，当事者主義では，裁判所は，検察官の主張する犯罪事実たる訴因を審判の対象とするしかありません。その結果，裁判所としては，訴因については無罪判決を言い渡すほかありません。

しかし，裁判官が他の犯罪事実について有罪だと考えている場合や，検察官も異なる訴因については有罪と立証できると考えている場合にまで，このように考えることは不合理です。

そこで，刑事訴訟法は，訴因変更を行う権限を検察官に認めているのです。

もっとも，訴因が変わることは，それまでの訴因について防御してきた被告人に対しては，不意打ちとなります。それゆえに，法は「公訴事実の同一性を害しない限度において」という限界を設けています。

### ❖訴因変更すべき場合

では，どのような場合に訴因変更すべきなのでしょうか。

一般的には訴状に訴因として記載されている事実と，法廷で認定された事実がズレた場合といえます。事実記載説 通説

もっとも，ごくわずかなズレがある場合にまで，訴因変更すべきとするのは不必要なことです。

たとえば「被害者を木刀で殴ったのか、その辺の棒切れで殴ったのか」など

この場合問題とすべきは，被告人の事情です。すなわち，訴因が変わることは，それまでの訴因について防御してきた被告人に対しては不意打ちとなります。

そこで，被告人にとって不意打ちとなるかどうか，防御に実

質的に不利益な影響を及ぼすかどうかが基準となると考えられます。

つまり，訴因事実と認定事実が全体と一部の関係にある場合や，訴因事実の中に認定事実が含まれているような場合には，訴因変更は不要ということができます。

次に，どのくらいの認定事実と訴因事実のズレならば「訴因変更」できるのでしょうか。

先ほど，訴因が変わることは，それまでの訴因について防御してきた被告人に対しては不意打ちとなり，それゆえに法は「公訴事実の同一性を害しない限度において」という限界を設けている，と述べましたが，このことを詳しく検討してみましょう。

**訴因変更の限界→公訴事実の同一性（広義）**
**①公訴事実の単一性**
**②公訴事実の同一性（狭義）**

広義の公訴事実の同一性は，公訴事実の単一性と同一性（狭義）の２タイプに分けることができます。

### ❖公訴事実の単一性

公訴事実の単一性とは，公訴事実が１つであるとみて良いかどうかの問題です。

住居侵入と窃盗は一見２つの犯罪に見えますが，実は両罪は科刑上一罪であり，一罪として処理されます。

罪数で一罪ならば公訴事実は1つと見てよいことになりますが，数罪（数人への暴行など，併合罪）ならば，公訴事実は複数ということになります。

公訴事実が1つといえるならば，広義の公訴事実の同一性がある，といえます。

### ❖狭義の公訴事実の同一性

「狭義の公訴事実の同一性」とは，起訴状に記載された公訴事実と訴因変更請求で示された公訴事実が，同じ事実といえるかどうかという問題です。

たとえば，窃盗の罪で起訴されたが，その後，盗品等譲受けの罪に当たるとして訴因変更請求された場合に，これを許可できるか問題となります。

この判断基準については争いがあります。

判例は，起訴状記載の訴因と訴因変更請求された変更先の訴因を比較して，日時・場所・目的物といった基本的事実が同一かどうかで判断するとします。

たとえば，11月3日朝にX駅前で太郎のバイクを窃取したという窃盗の訴因と，11月3日昼前にX駅前で太郎のバイクを盗品と知りつつ貰ったという盗品譲受けの訴因では，同じ日の近い時刻に同じバイクを不法に領得したという事実が共通です。そこで，基本的事実が同一であるといえます。

さらに，一方の犯罪事実が認められる際に，他方の犯罪事実が成立しうるかどうかといった「択一関係」があるかどうかの判断基準も加味されています。

たとえば「Xは，公務員Aと共謀して職務上の不正行為に対する謝礼としてBから賄賂を収受した」という加重収賄の訴因と，「Xは，Bと共謀の上謝礼の趣旨で公務員Aに対して賄賂を供与（きょうよ）した」という贈賄（ぞうわい）の訴因では，Xに渡った金銭（賄賂）に共通性があり，両立しない関係にあるので同一性を肯定できる，とする判例があります。

### ❖訴因変更の手続

訴因変更は，原則として書面で行わなければなりません（刑事訴訟規則209条1項）。

例外的に被告人が在廷（ざいてい）する公判廷においては，裁判所の許可を得れば，口頭による変更も許されます（刑事訴訟規則209条6項）。

### ❖訴因変更命令

裁判所が審理の経過において，適当と認めるときは，訴因を追加または変更すべきことを，命ずることができる，とするものです（312条2項）。

これは，訴因事実と認定事実が食い違った場合です。認定事実からすると有罪なので，検察官が訴因変更すべきなのに，検察官がそうしないため，被告人に無罪判決を言い渡さなければならない不合理を回避するためのものです。

真相に従った裁判ができないこと

当事者主義をとる現行法のもとでは，あくまで例外的な制度です。

この訴因変更命令（そいんへんこうめいれい）は，条文上裁判所の権限となっています。この訴因変更命令が，裁判官の義務となる場合があるか，が問題となります。

判例は，次の場合に，例外的に訴因変更命令をすべき義務があるとしています。

**訴因変更命令をしなければならない場合**
**①訴因変更すれば有罪であることが証拠上明らかであり**
**②その罪が相当重大である**
**場合，裁判所には訴因変更命令を出す義務がある**

なお，訴因変更命令には検察官は従う義務があると考えられます。

しかし，判例は，検察官が訴因変更命令に従わなかった場合，裁判官の訴因変更命令どおりの訴因に当然変わったことになるかについては否定しています。

## キオークコーナー4時間目

### [用語チェック]

| | |
|---|---|
| □ 公判手続とは，捜査の結果，検察官が事件を〔①〕してから裁判所が審理・判決を行うまでの手続のことです。 | ①起訴 |
| □ 犯罪事実の認定は，公判期日での手続において行われなければなりません。これを〔②〕と呼んでいます。その理由は，公判手続が，中立公平な裁判所の公開法廷において，〔③〕と被告人の二当事者がそれぞれ主張し，それぞれの主張を裏付ける証拠を出し合って，〔④〕で弁論を展開することが予定されている手続であるからです。 | ②公判中心主義<br>③検察官<br>④口頭 |
| □ 法廷での写真撮影・録音・放送には，〔⑤〕の許可が必要です。公開の例外としては，公序良俗違反などといった一定の要請がある場合につき憲法82条2項が定めています。 | ⑤裁判所 |
| □ 事件が終結し，確定した訴訟記録は，誰でも〔⑥〕することができます。 | ⑥閲覧 |
| □ 公開規定違反は〔⑦〕となります。 | ⑦絶対的控訴理由 |
| □ 刑事訴訟が迅速でないならば，時間の経過とともに証拠が散逸してしまうし，被告人への手続的負担は一層重くなってしまいます。憲法は，迅速な裁判を〔⑧〕の権利として保障しています。審理が著しく遅れ，迅速な裁判を受ける権利が害されて憲法違反ともいうべき状況になった場合には，〔⑨〕による訴訟打ち切りがされると | ⑧被告人<br>⑨免訴 |

⑩手続
⑪裁判長
⑫法廷警察権
⑬裁判官
⑭監置
⑮審判妨害
⑯召喚
⑰勾引
⑱出頭
⑲公訴事実の要旨
⑳勾留
㉑2

考えられています。

□　訴訟指揮権とは，適切な訴訟進行のために，裁判所が〔⑩〕の進行をコントロールする権限です。訴訟指揮権は，公判期日においては，原則として〔⑪〕が行使します。

□　〔⑫〕は，適切な訴訟進行のために，法廷の秩序を維持する権限です。裁判長または開廷をした1人の〔⑬〕が行使します。裁判所による〔⑫〕の命令に違反した場合，第一に〔⑭〕，第二に過料，第三に〔⑮〕罪という制裁があります。

□　被告人の出頭確保には，第一に〔⑯〕，第二に〔⑰〕，第三に勾留の3つがあります。〔⑯〕とは，〔⑯〕状を発し，一定の猶予期間を置いて，裁判所などの一定の場所への〔⑱〕を命ずる裁判です。〔⑰〕とは，〔⑰〕状を発して，被告人・証人などを一定の場所に引致する裁判，およびその執行です。被告人が〔⑯〕に従わない場合や，その危険性がある場合，〔⑰〕することができます。〔⑰〕された被告人に対しては，第一に〔⑲〕，第二に弁護人選任権，第三に国選弁護人選任請求権を告知しなければなりません。

□　〔⑳〕とは，被告人を身柄拘束する裁判およびその執行です。逮捕後，勾留前の被疑者が起訴されると，裁判官が〔⑳〕質問を行い，職権で〔⑳〕するかどうかを決定します。その期間は，起訴の日から〔㉑〕か月です。このような〔⑳〕からいったん

解放される制度が〔㉒〕と〔⑳〕の執行停止です。 ㉒保釈

□ 〔㉒〕には，勾留されている被告人本人や親族らの請求で行われる〔㉓〕と，裁判所が職権で行う〔㉔〕があります。 ㉓権利保釈 ㉔裁量保釈

□ 冒頭手続は，審理手続で最初に行われる手続の総称です。裁判長による〔㉕〕とは，裁判長が被告人に対し氏名などを質問して人違いでないかどうかを確かめる質問です。 ㉕人定質問

□ その他，冒頭手続には，検察官による〔㉖〕の朗読や，裁判長による被告人への〔㉗〕告知があります。 ㉖起訴状 ㉗黙秘権

□ 検察官の冒頭陳述後，裁判所は，〔㉘〕・弁護人にも冒頭陳述を許すことができます。 ㉘被告人

□ 当事者主義をとっている現行法の下では，まず，検察官・被告人・弁護人が尋問し，その後に〔㉙〕が尋問する方式をとっています。〔㉚〕と呼ばれる順番で尋問します。 ㉙裁判官 ㉚交互尋問

□ 〔㉛〕は，証人に対して尋問を行うことを請求した者が実施します。〔㉜〕は，相手方当事者が行い，〔㉝〕は，証人の尋問を請求した者が行います。この〔㉛〕においては，立証すべき事項と関連事項について行われますが，〔㉞〕は禁止されています。〔㉞〕は，尋問者が狙っている答を暗示する尋問です。 ㉛主尋問 ㉜反対尋問 ㉝再主尋問 ㉞誘導尋問

□ 検察官，被告人，弁護人は証拠調べについて〔㉟〕を申し立てることができます。〔㉟〕申立てに対しては，〔㊱〕は遅滞なく ㉟異議 ㊱裁判所

決定をしなければなりません。

㊲被告人質問

□ 〔㊲〕は，被告人に当該事件についての供述を行わせることです。裁判長は，被告人が任意に供述する場合においては，いつでも必要とする事項につき，被告人の供述を求めることができます。検察官，弁護人，共同被告人またはその弁護人，〔㊳〕は，裁判長に告げて被告人の供述を求めることができます。

㊳陪席裁判官

□ 証拠調べが終わった後，まず，検察官による〔㊴〕がなされます。検察官は，事実および法律の適用について，意見を陳述し，いわゆる〔㊵〕がなされます。被告人・弁護人に最終的に意見を陳述する機会を与えなければならないとされていますが，これを被告人の〔㊶〕と言います。

㊴論告
㊵求刑
㊶最終陳述

□ その後，〔㊷〕となり，〔㊷〕後は，判決手続に移ります。

㊷結審

□ 検察官と被告人が対立して主張立証し，手続を進める当事者主義の現行法においては，検察官が起訴状に記載する犯罪事実である訴因が，裁判所による〔㊸〕の対象になります。刑事訴訟法は，訴因変更を行う権限を〔㊹〕に認めています。

㊸審判
㊹検察官

□ 一般的には〔㊺〕に訴因として記載されている事実と，法廷で認定された事実がずれた場合に訴因変更すべきといえます。

㊺訴状

□ 公訴事実の単一性とは，公訴事実を〔㊻〕とみて良いかどうかの問題です。

㊻1つ

□ 訴因変更命令とは，裁判所が審理の経過において，適当と認めるときは，訴因を〔㊼〕または変更すべきことを，命ずることができるものです。

㊼追加

# 5時間目
# 刑事訴訟その5
# 証拠

▶ここで学ぶこと

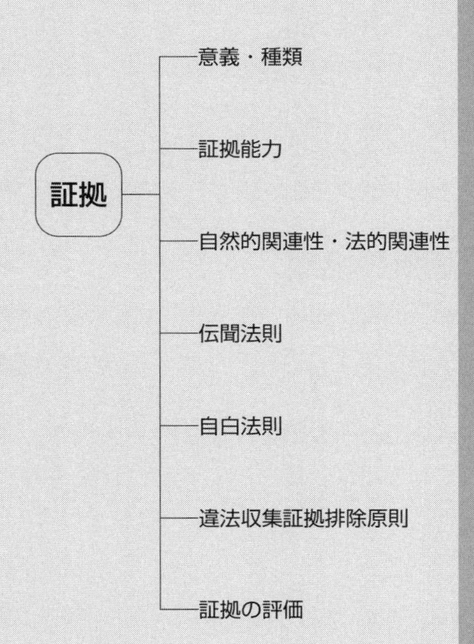

# 1 ▶ 証拠とは何か

## ●1● 証拠裁判主義

### ❖事実は何に基づいて真偽を判断するのか

刑事訴訟においては，どのような方法で犯罪事実・量刑事実を認定するかが重要です。

正しい事実認定をしなければ，無実の人を罰することもありえます。

正しい事実認定のために，刑事訴訟では事実認定に対してさまざまな明文不文の規制が加えられています。

刑事訴訟法は，事実認定は証拠によらなければならないという証拠裁判主義を規定しています（317条）。

## ●2● 証拠の種類

証拠は，問題となっている犯罪事実を推認させる根拠となる情報資料という意味と，そのような情報資料の媒体に細分化できます。両者は，証拠方法を利用することで，証拠資料が得られる，という関係にあるといえます。

たとえば，証人という証拠方法を利用することで証言が得られ，覚せい剤捜査においては尿を利用することで覚せい剤反応が得られます。

証拠にはいろいろなものがあるので，以下検討してみましょう。

**証拠資料についての分類**
**①直接証拠と間接証拠**
**②供述証拠と非供述証拠**
**③実質証拠と補助証拠**

**証拠方法についての分類**
**①人証と物証**　　**人証とは人間が証拠方法となる場合です**
**②証人・証拠物・証拠書類**

順次，詳しくみていきましょう。

### ❖直接証拠と間接証拠

直接証拠とは，犯罪事実を直接証明する証拠のことです。

たとえば「被告人が被害者を殴っているのを見た」という証言など

間接証拠とは，犯罪事実を推認させる事実を証明する証拠です。

（犯罪事実を推認させる事実＝間接事実）

たとえば「犯行推定時刻に被告人が現場付近にいた」という間接事実を証明する，「その時刻に被告人が現場をうろついているのを見た」という証人の証言など

### ❖供述証拠と非供述証拠

供述証拠とは，犯罪事実について人間の記憶を言葉で表現した証拠です。つまり証言や自白です。

非供述証拠は，犯罪事実について物に残った証拠です。

この区別は後に述べる伝聞法則との関係で問題となります。

### ❖実質証拠と補助証拠

実質証拠とは，犯罪事実の存否を証明する証拠のことです。

補助証拠とは，実質証拠の証明力に影響を及ぼす事実を証明する証拠のことです。

補助事実

補助証拠には次の3つがあります。

**補助証拠**
**①証明力を弱める弾劾証拠**
**②逆に強める増強証拠**
**③いったん弾劾証拠で弱められた証明力を強める回復証拠**

たとえば，「犯行現場で被告人が被害者に切りかかってゆくのを見た」という証言が実質証拠です。そして，この証人が「昔から被告人と犬猿の仲である」旨示す証拠が弾劾証拠です。また，「被告人が犯行推定時刻に別の場所で飲食しているのを見た，という被告人に有利な証言をした証人が，実は被告人の商売がたきであった」という事実を示す証拠が増強証拠です。

商売がたきが有利な証言をしているのですから
証言の証拠力が増強されますね。

### ❖人証と証拠物と書証

人証（304条）・証拠物（306条）・書証についてまとめましょう。

**人証**

**①人が供述証拠を提供する場合**

**②証拠調べの方式は尋問**

**③たとえば証人や鑑定人**

**証拠物**

**①形状が証拠となるもの**

**②展示が必要**

**③たとえば凶器**

**書証**　証拠が書面になっている場合です

**①証拠書類　書面の内容だけが証拠**　供述調書など

**②証拠物たる書面　書面の内容だけでなくその書面の状態も証拠になる**　脅迫文書など

証拠書類の取調べ方法は朗読です（305条）。

証拠物たる書面の取調べ方法は展示と朗読です（307条）。

●3●

## 証拠能力と証明力

犯罪事実と関連する証拠資料すべてが，犯罪事実を証明する証拠として使用できるのでしょうか。

証拠は証拠調べにより裁判官の心証に影響を与えてその効

果を発揮します。証拠調べが許容されるための要件として証拠能力が要求されます。

他方，その証拠がどれくらい犯罪事実を証明できているかという程度の問題が証明力です。

### ❖厳格な証明

厳格な証明とは，証拠能力ある証拠を法定の手続に従って取り調べて行う証明をいいます。

証拠裁判主義（317条）は，法律で認められた証拠を法定の手続きにのっとって取り調べなければ，犯罪事実を認定することができないという意味に解釈されています。

厳格な証明は犯罪事実の認定に必要であるといえます。

犯罪事実とは，刑罰権の存否と範囲を定める事実のことです。構成要件該当事実，違法・有責事実，処罰条件事実，刑の加重減免事由などです。

### ❖自由な証明

他方，自由な証明とは，証拠を適当な方法で取り調べて行う証明をいいます。これは厳格な証明を必要とする犯罪事実と比べて，重要でない事実に妥当します。

たとえば，訴訟条件等訴訟手続上の事実です。

また，被告人の経歴や悪性格などの量刑事情は，証拠がさまざまであり，多くの資料に基づいて総合的に判断すべきなので，自由な証明で足りるとされています。

もっとも，学説上は，量刑に重点をおいて訴訟を行う自白事件も多いので，量刑事情も厳格な証明の対象とすべきであるという見解もあります。

## ②▶証拠能力

●0●

### 証拠能力の種類

厳格な証明に要求される証拠能力には，2タイプあります。

**証拠能力**

**①自然的関連性　犯罪事実を立証する最低限度の証明力があるか**

**②法律的関連性　自然的関連性があっても，これを証拠とすることが刑事訴訟政策上妥当といえるか**

法律的関連性を欠くとされる代表例としては，次の3つがあります。

**法律的関連性がないとされる場合**

**①伝聞法則に反する場合**

**②自白法則に反する場合**

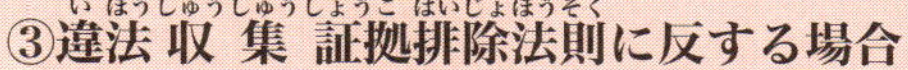

**③違法収集証拠排除法則に反する場合**

#### ❖自然的関連性

犯罪事実を立証できる最低限度の証明力がない証拠は，取り調べても意味がなく，誤った事実認定を導きかねないので証拠能力がないとされます。自然的関連性がない代表的なものには，単なる噂（うわさ）が挙げられます。

近年問題となっているのが，ポリグラフ検査やDNA鑑定などです。検査技師の腕前（うでまえ）や検査手法や条件によって結果にバラツキが出かねないところから，その自然的関連性が問題となっています。

### ❖法律的関連性

自然的関連性があったとしても，誤った事実認定を導くおそれの大きい証拠や，事実認定を混乱させるような証拠は，法律的関連性がないとして証拠能力が否定されます。

いわゆる伝聞証拠や，偏見を与えるおそれのある被告人の悪性格，前科の有無が問題となります。

ギャンブル狂いの性格なら金銭に目がくらんでもおかしくない，前もやったのなら今回もやったに違いない，という偏見を裁判官に与える一方で，被告人には効果的な防御手段がなかなかありません。

それゆえ，原則として，これら悪性格や前科についての証拠は，証拠能力がないとされます。

しかし，例外的に，被告人が自らの善良な性格を主張した場合に，悪性格を反証する場合には，証拠能力があるとされます。また，犯罪がいつ，どこで，誰によって行われたかが証明された場合に，犯罪の主観的要素を証明するために前科を立証することは許されます。

●1●

# 伝聞法則―法律的関連性（1）

伝聞証拠とは，公判廷外で他人が言った内容をその内容とする証拠のことです。伝聞法則にひっかかると，その証拠は伝聞証拠として，法律的関連性がないとされて，証拠能力が原則として否定されます。

刑事訴訟法は「公判期日における供述に代えて書面を証拠とし，または公判期日外における他の者の供述を内容とする供述を証拠とすることはできない」（320条1項）とします。

証拠能力が否定されるのは，次の理由からです。

供述証拠は，人の知覚・記憶・表現のプロセスをたどりますが，その過程で，見間違い，記憶違い，言い間違いなどの誤りが混入しやすいので，供述者に対する被告人の反対尋問によってその信用性をテストすべきです。

しかし，伝聞証拠においては，反対尋問をすることはできません。それゆえに伝聞証拠の証拠能力は，原則として否定されるのです。

たとえば，Aの窃盗事件で，証人Xが「AがBの財布を盗むのを見た，とYは言っていた」と証言した場合のXの証言が，伝聞証拠の例としてあげられます。この場合，Yに反対尋問しないと，Y発言の内容の真偽（しんぎ）を確かめられませんね。

もっとも，公判廷外で他人が言った内容をその内容とする供述でも，その供述があったこと自体を立証しようとする場合にはそれは伝聞証拠とはなりません。

320条：①321条ないし328条に規定する場合を除いては，公判期日における供述に代えて書面を証拠とし，または公判期日外における他の者の供述を内容とする供述を証拠とすることはできない。

たとえば，名誉棄損罪の事案で，証人Ｚが「ＢがＡを詐欺師呼ばわりしていた」と証言した場合は，Ｂがそのような発言をしたこと自体がＡに対する名誉棄損行為に当たります。そのため，伝聞証拠ではありません。

### ❖伝聞法則の例外

伝聞法則には例外が認められています（321条～328条）。

もっとも，伝聞証拠を禁止する趣旨に照らして，以下の２つの要件が必要とされています。

**伝聞法則の例外の要件**
**①必要性**
**②信用性の情況的保障**

①必要性とは，伝聞証拠を利用する必要性のことです。

伝聞証拠が捜査上重要な証拠であるといった必要性ではなく，伝聞証拠で内容となっている供述をした人がもはや供述できない場合などを指します。

また，②信用性の情況的保障とは，公判廷外における供述ではあるが，客観的情況から見て信用できる場合をさします。これは，反対尋問に代わるだけの特に信用すべき状況の存在が要求されるのが原則です。

これら伝聞証拠が証拠能力を肯定される場面は，法文で規定されています。各々要件が違いますが，一般的に言って裁判所・裁判官が関わる伝聞書面については，裁判官の公正中立な立場を理由として，捜査機関が関わる書面よりも緩やかに証拠能力が肯定されます。以下，分類して検討します。

### ❖伝聞例外書面の分類

次の２つに大別できます。

**伝聞例外書面**

**①被告人［以外］が作成した供述書と，被告人［以外］の供述録取書**

**②被告人［本人］が作成した供述書と，被告人［本人］の供述録取書**

①は，さらに，３種類に分けられます。

**被告人［以外］の供述書・供述録取書**

**①ア．裁判所・裁判官が関わる書面**

- **裁面調書**（さいめんちょうしょ）（321条1項1号）
- **公判準備・公判期日における供述録取書**（321条2項前段）
- **裁判所・裁判官の検証調書**（けんしょうちょうしょ）（321条2項後段）
- **鑑定書**（321条4項）

**イ．捜査機関が関わる書面**

- **検面調書**（けんめんちょうしょ）（321条1項2号）
- **員面調書**（いんめんちょうしょ）（321条1項3号）
- **検証調書**（321条3項）

**ウ．上記ア・イ以外の書面**

- **特に信用できる書面**（323条）

②は，322 条の供述書・供述録取書のことです。

伝聞例外供述の場合は，次の 2 つがあります。

**伝聞例外供述**
**①被告人本人の供述を内容とする伝聞供述（324 条 1 項）**
**②被告人以外の者の公判廷外の供述を内容とする伝聞供述**
**（324 条 2 項）**

伝聞例外書面・供述の場合には，次の 2 つがあります。

**伝聞例外書面・供述**
**①当事者の同意がある書面・供述の場合**
**当事者の同意または合意により作成された書面の場合**
**（326，327 条）**
**②証明力を争うための証拠の場合（328 条）**

### ❖裁面調書

裁判官面前調書

裁面調書（さいめんちょうしょ）（321 条 1 項 1 号）について説明します。

裁面調書の場合，供述者の死亡・病気などで供述できない場合・供述者が公判準備または公判期日において前の供述と異なった供述をした場合という必要性の要件だけで足り，特信性（とくしんせい）の要件は不要と考えられています。

裁判官は，検察官・当事者から中立な立場にあり，公正な審判者であるからだと考えられています。

### ❖公判準備・公判期日における供述録取書

公判準備・公判期日における供述録取書（321条2項前段）について説明します。

公判準備期日における証人尋問調書などがこれにあたります。

すでに公判準備期日・公判期日においては被告人は反対尋問の機会を与えられているので，無条件に証拠能力が認められています。

### ❖検証調書

裁判所・裁判官の検証調書（321条2項後段）について説明します。

裁判所・裁判官が検証の結果を記載した書面のことです。

裁判所が主体となる場合には，裁判機関の中立性，被告人は検証に立ち会える（142条，113条）ので意見を述べられること，さらに検証は事実の正確な認識に基づくこと，書面の確実性などから無条件に証拠能力が認められています。

### ❖鑑定書

鑑定書（321条4項）について説明します。

裁判所・裁判官が命じた鑑定人が作成した鑑定書のことです。

鑑定人が公判期日において鑑定書が真正に作成されたものであることを供述したときには，証拠能力が認められます。

鑑定は専門知識を有する専門家によるもので客観性が認められること，複雑な鑑定結果は書面によるのが妥当なことから，緩やかな要件で証拠能力が認められます。

## ❖検面調書

検察官面前調書

検面調書（321条1項2号）について説明します。

検面調書とは，検察官が参考人（たとえば犯罪の第一発見者や目撃者）や被疑者を取り調べてその供述を録取した書面のことです。

これに証拠能力が認められるのは次の2つの場合です。

第一に，原供述者が死亡・病気などで公判準備期日・公判期日に供述できない場合です（321条1項2号前段）。伝聞例外の必要性の要件は満たします。

これについては特信性の要件が規定されていません。これは検察官の高い専門性や，検察官は犯罪の真相を発見して法の正当な適用を請求する義務を負っていて，被告人を絶対有罪にしなければならないわけでもないことなどを根拠としていると考えられます。

しかし，被告人の対立当事者に過ぎない検察官の調書をこのように緩やかな要件で証拠能力を肯定することについては疑問があるとして，本条項を憲法（37条2項，31条）違反とする見解もあります。

第二に，公判準備期日・公判期日における供述において前の供述と相反するかまたは実質的に異なった供述をした場合です（321条1項2号後段。後者を自己矛盾供述と呼びます）。

この場合，必要性だけでなく特信性（「公判準備または公判期日における供述よりも前の供述を信用すべき特別の情況の存する場合」321条2項後段ただし書き）の要件も満たさなければなりません。

たとえば公判期日における証人の供述の際に脅迫があったことなど

## ❖員面調書

員面調書（いんめんちょうしょ）（321条1項3号）について説明します。

員面調書とは，警察官（司法警察職員）が参考人や被疑者を取り調べてその供述を録取した書面のことです。これは321条1項3号の書面として許容されます。

たとえば犯罪の第一発見者や目撃者

この場合は，供述者の死亡・病気などで供述不能という必要性があり，かつ「その供述が特に信用すべき情況の下にされたものであるとき」という特信性の要件を満たし，さらに「犯罪事実の存否の証明に欠くことができないものであるとき」という要件を満たすときのみ，証拠能力が認められます。

## ❖検証調書

検証調書（けんしょうちょうしょ）（321条3項）について説明します。

これは，捜査機関の検証の結果を記載した書面のことをいいます。

公判期日において供述者が証人として尋問を受け，真正に作成されたものである旨供述した場合には証拠能力が認められます。

書面の確実性などから，やや要件が緩（ゆる）められています。

### ❖その他の書面

裁判所・裁判官が関わる書面と，捜査機関が関わる書面以外の書面（321条1項3号）について説明します。

供述者が死亡・病気などで供述不能であり（必要性），かつ特に信用すべき情況下で供述がなされており（特信性），さらにその供述が犯罪事実の存否（そんぴ）の証明に欠くことができないものであることが要件です。

たとえば，手紙や被害者が提出した被害届が挙げられます。

### ❖特に信用できる書面

特に信用できる書面（323条）について説明します。

戸籍謄本（こせきとうほん）などの公務文書，商業帳簿（しょうぎょうちょうぼ）などの営業上正確な記載が期待できる業務文書，またはそれ以外でも特に信用すべき情況の下に作成された書面は，その信用性の高さから無条件に証拠とすることができます。

さて，おさらいすると，伝聞例外書面は2つに大別できましたね。

これまでそのうちの①被告人以外が作成した供述書と被告人以外の供述を記録した録取書について説明してきましたが，次にもう1つの②被告人本人が作成した供述書・被告人本人の供述録取書の説明に入ります。

## ❖被告人本人が作成した供述書・被告人本人の供述録取書

被告人本人が作成した供述書・被告人の供述を録取した書面は，それが被告人に不利益な事実の承認を内容とするもので，しかも任意にされたものであるなら，証拠とすることができます（322条1項）。

この場合には，自分に不利なことをあえて言わないであろうという経験則から信用性が高いとされています。

また，被告人本人が作成した供述書・被告人の供述を録取した書面が特に信用すべき情況の下にされた場合も，証拠とすることができます。特信性をもって検察官からの反対尋問に代えているといえます。

また，被告人本人の公判準備・公判期日における供述を録取した書面は，供述が任意にされたと認められる場合には証拠とすることができます（322条2項）。

## ❖伝聞例外供述

伝聞例外供述の場合は，次の2つになります。

第一は，被告人本人の供述を内容とする伝聞供述です（324条1項）。

被告人本人の供述を内容とする被告人以外の者の公判準備・公判期日における供述は，322条の要件を満たす限りで証拠能力が認められます。

第二は，被告人以外の者の公判廷外の供述を内容とする伝聞供述です（324条2項）。

被告人以外の者の供述を内容とする被告人以外の者の公判準備・公判期日における供述は，321条1項3号の要件を満たす限りで証拠能力が認められます。

## ❖伝聞例外書面・供述

伝聞例外書面・供述の場合は，次の２つになります。

第一は，当事者の同意がある書面・供述の場合です（326，327条）。

検察官および被告人が証拠とすることに同意した書面または供述は，その書面が作成された情況，供述されたときの情況を考慮して相当と認めるときに限って，証拠能力が認められます。（当事者の同意がある書面・供述の場合，326条）。

検察官および被告人または弁護人が合意の上で，文書の内容または公判期日に出頭すれば供述することが予想される供述内容を書面に記載して提出したときは，その文書または供述すべき者を取り調べずにその書面に証拠能力が認められます。

当事者の合意により作成された書面の場合，327条

この同意・合意は当事者の反対尋問権の放棄を意味するので，伝聞例外が緩（ゆる）やかに認められています。

第二は，証明力を争うための証拠の場合です（328条）。

321条～324条の規定により証拠とできない書面・供述であっても，公判準備または公判期日における被告人，証人その他の者の供述の証明力を争うためには証拠とすることができます。

この「供述の証明力を争う…証拠」の範囲をめぐり，争いがありますが，同一の人による不一致供述（自己矛盾供述）に限定されるとする見解が多数説です。

この見解は，同一人が違うことを言ったことを立証すればその者の供述の証明力は減殺（げんさい）されるので証明力を争うのに有用であるが，もしも証明力を争うためのすべての証拠が含まれるとすると，結局あらゆる伝聞証拠が許容されてしまい伝聞法則が

無意味になってしまうことを根拠とします。たとえば，ある証拠の証明力を減殺するために全く独立の他の証拠を持ってきたとして，その証明力が減殺された，またはされなかったと判断するためには，どちらの証拠が真実なのか調べなくてはなりませんね。

### ❖供述の任意性に関する調査

供述の任意性に関する調査（325条）について，説明しておきます。

裁判所は，伝聞例外の規定によって証拠能力が認められる伝聞証拠でも，まずその任意性を調査しなければならないとする規定です。

任意性は伝聞例外で個別に要求されている場合を除いては，証拠能力の要件ではありません。これは証明力を調べるにあたって，裁判所に任意性調査義務を課した規定だと考えられています。

325条：裁判所は，321条から前条までの規定により証拠とすることができる書面または供述であっても，あらかじめ，その書面に記載された供述または公判準備もしくは公判期日における供述の内容となった他の者の供述が任意にされたものかどうかを調査した後でなければ，これを証拠とすることができない。

●2●
## 自白法則―法律的関連性(2)

自白とは，自己の犯罪事実を認める被告人の供述です。

判例は，公判廷の自白とそれ以外の自白に区別し，公判廷の自白は憲法38条の「自白」に含まれず，無条件に証拠となるとしています。

公判廷外の自白については，それが「また聞き」ならば伝聞法則による制限がかけられますが，さらにその内容が自白である場合には自白法則(じはくほうそく)もさらに適用されます。

自白法則とは不任意自白を排除する法則です。

これは，「強制・拷問もしくは脅迫による自白または不当に長く抑留もしくは拘禁された後の自白」を証拠にすることを禁止している憲法38条2項，「その他任意にされたものでない疑いのある自白」の証拠能力を否定する刑訴法319条1項で規定されています。

では，その根拠は何でしょうか。学説上争いがあります。

**自白法則の根拠に関する説**

**①虚偽排除説**　強制による自白などは虚偽のおそれがあるので排除されるとする考え方

**②人権擁護説**　黙秘権（憲法38条1項）を保障するためだとする考え方

**③違法排除説**　自白採取手段に違法があったならば自白は排除されるとする考え方

①によると，供述内容が虚偽か否かがポイントとなり，自白内容が虚偽でなければよいということになります。

②によると，供述の自由が侵害され黙秘権を侵害したかどうかがポイントとなります。

③は，上記２説よりも客観的な基準を提供することができる点にポイントがあります。

これによると，自白法則は，次に説明する違法収集排除法則の自白バージョン，ということになります。

●3●

## 違法収集証拠排除法則―法律的関連性(3)

違法収集証拠排除法則（いほうしゅうしゅうしょうこはいじょほうそく）とは，違法な手続で収集された証拠の証拠能力を否定する原則です。明文はありません。

たとえば，無令状の捜索・差押えの結果得られた証拠が，この問題となります。

確かに，手続に違法があったとしても収集された証拠自体の価値は変わらないともいえます。しかし，違法収集証拠排除法則は判例・通説で認められています。

その根拠については，以下のように見解が分かれます。

**違法収集証拠排除法則の根拠に関する説**

**①憲法説**

**②違法捜査抑止説**

**③司法の廉潔（れんけつ）性説**

①は，憲法31条の適正手続に反する場合，憲法35条の令状主義に反する場合といったように憲法が規定した証拠採取手続に違反する場合にはその証拠を排除するべきという考え方です。

②は，違法収集証拠を排除することで，違法捜査はムダに終わるということを捜査機関に示して，将来にわたって違法捜査を抑止するという考え方です。

③は，捜査の違法を知りつつ見逃すことは裁判所の信頼性を損なうので違法収集証拠を使用することは許されないとする考え方です。

そして，何を違法収集証拠とするかについての判断基準について判例は，

(1)証拠物の押収などの手続に憲法35条および刑訴法218条1項などの所期する令状主義の精神を没却するような重大な違法があり，

(2)これを証拠として許容することが将来における違法な捜査の抑制の見地からして相当でない場合に，

証拠能力は否定されるとします。

これは前記①～③の学説を総合的に考慮していると考えられます。

次に，違法収集証拠に関連する問題をみていきましょう。

### ❖毒樹の果実の理論

これは，違法な手続で収集された証拠によって収集された他の証拠が違法収集証拠として排除されるかという問題です。

毒樹の果実の理論は，違法な手続で収集された証拠（毒樹）

によって収集された他の証拠（果実）も排除されると考える理論です。

これは，違法な手続で収集された証拠（第1次証拠）を排除しても，それによって収集された他の証拠（第2次証拠）が排除されないのでは証拠排除の意味がなくなるからです。

もっとも，第1次証拠と第2次証拠の関係が希薄な場合，または独立といえる場合には許容される（希釈の理論，独立入手源の法理）とも考えられています。

### ❖善意の例外の場合

捜査官が自らの行為を合法的と信じて行動している場合には，違法だったとしてもその収集証拠は排除されないとする考え方です。

これはアメリカ法において認められていますが，捜査官の主観によることは問題が多いので，日本では学説・判例上いずれも否定的に考えています。

### ❖私人による違法収集証拠の場合

私人が違法に収集した証拠には，証拠能力が認められるかどうかという問題があります。

違法収集排除法則の根拠について捜査機関による違法抑止説の考え方をとるなら，私人による違法収集証拠には証拠能力がある，ということになります。

## ③ ▶ 証拠の評価

今まで，証拠たりうるかという証拠能力の問題を見てきましたが，次に証拠をどう評価するかという問題をみてみましょう。

### ●1● 自由心証主義

原則として，証拠の評価は裁判官の自由な判断に委ねられます（318条，自由心証主義）。

戦前は，裁判官の心証に制限をしていました。たとえば，証人2人が同じ内容の証言をすれば事実を認定できるというような制限でした。

しかし，現在では裁判官の能力を信頼して自由な証拠評価をする方が合理的な結論を導けると考えられています。

もっとも，裁判官の自由心証主義にも例外があります。それが**自白法則**です。

「何人も，自己に不利益な唯一の証拠が本人の自白である場合には，有罪とされ，または刑罰を科せられない」（憲法38条3項）とされました。さらに「被告人は，公判廷における自白であると否とを問わず，その自白が自己に不利益な唯一の証拠である場合には有罪とされない」（刑事訴訟法319条2項）と規定されています。

その趣旨は，自白は過度に偏重されやすいので，誤判を招きやすいからだ，と考えられています。

---

318条：証拠の証明力は，裁判官の自由な判断に委ねる。

自白には，補強が必要です。そして，補強の範囲については，犯罪の客観面において必要とされています。もっとも，その範囲については争いがあります。

形式説は，罪体の全部または主要な部分について補強証拠が必要だとします。

この「罪体」については，誰かの犯罪行為による被害者の法益侵害の事実の発生で足りるとする理解が通説です。

他方，実質説は，自白の真実性を担保する程度の補強証拠があれば足りるとしています。判例は実質説にたつとされています。

次に，補強の程度についてですが，これについても争いがあります。

絶対説は，補強証拠だけでの補強を要する事実の一応の証明力を要求する立場です。他方，相対説は，自白と補強証拠があいまって補強を要する事実が証明できればよいとする立場です。

### ❖補強証拠たりうる資格

なお，補強証拠たりうる資格という問題があります。

補強証拠も犯罪事実を認定するための証拠ゆえに証拠能力が必要であることは勿論ですが，加えて自白から独立したものでなければ補強証拠を要求する意味がありません。それゆえ，被告人の自白から独立した証拠であることが必要といえます。

●2●
## 挙証責任の問題

検察官と被告人が攻撃防御を尽くしたものの，結局犯罪事実の存否が不明だった場合でも，裁判所は裁判を拒否できないので結論を出さねばなりませんが，裁判官はどうすべきでしょう。

これが挙証責任の問題です。この場合，挙証責任を負う側の主張が退けられることになります。

原則として，「疑わしきは被告人の利益に」「無辜の不処罰」という法格言に現れるとおり，**無罪推定の原則**がはたらきます。

それゆえ**検察官が原則として挙証責任を負う**と考えられます。

では，どんな範囲で挙証責任を負うのでしょうか。

被告人の刑事責任の存否・範囲に関する犯罪事実だと考えられています。

すなわち，検察官は，構成要件該当事実，違法性，責任，刑の加重・減免事由，量刑事実について，挙証責任を負うと考えられています。

証明の程度については，判例は「通常人なら誰でも疑いをさしはさまない程度の真実らしいとの確信」と表現します。刑罰という重大な国家権力作用に関する証明なので，高度な証明が要求されています。

もっとも，例外的に挙証責任が被告人側に課せられる場合があります。挙証責任の転換と呼ばれます。

法に明文の規定がある場合として，刑法207条の同時傷害の特例の場合，230条の2の名誉毀損罪についての公共の利害に関する事実についての特例などが挙げられます。いずれも，被告人が挙証に失敗すると，処罰されます。

## ❖推定

ある事実から他の事実の存在を推認することです。

推定には２種類あります。

**「推定」には２種類ある**
**①法律上の推定　推認が法律にそって行われる場合**
**②事実上の推定　推認が経験則にそって行われる場合**

②の事実上の推定は，自由心証の問題に過ぎず，法律上の効果はありません。

しかし，①の法律上の推定が及ぶと，挙証責任が被告人側に実質的に転換され，「疑わしきは被告人の利益に」原則に反するおそれがあるので問題となります。

たとえば公害罪法５条は，公衆の生命などに危険な程度の公害物質が排出され，排出による種類の危険が生じている場合には，その危険はその排出によると推定するとしています。

人の健康に係る公害犯罪の処罰に関する法律

これは，排出と危険との因果関係を推定したものです。

もっとも，推定規定の合理的関連性・必要性があれば，「疑わしきは被告人の利益に」の原則に反しないとする見解が多数です。

## キオークコーナー5時間目

### [用語チェック]

| | |
|---|---|
| □ 〔①〕とは，犯罪事実を直接証明する証拠のことです。 | ①直接証拠 |
| □ 〔②〕とは，犯罪事実について人間の記憶を言葉で表現した証拠です。つまり証言や自白です。〔③〕は，犯罪事実について物に残った証拠です。この区別は〔④〕との関係で問題となります。 | ②供述証拠<br>③非供述証拠<br>④伝聞法則 |
| □ 〔⑤〕とは，犯罪事実の存否を証明する証拠のことです。 | ⑤実質証拠 |
| □ 〔⑥〕とは，実質証拠の証明力に影響を及ぼす事実を証明する証拠のことです。第一に証明力を弱める〔⑦〕，第二に逆に強める〔⑧〕，第三にいったん〔⑦〕で弱められた証明力を強める回復証拠があります。たとえば，犯行現場で被告人が被害者に切りかかってゆくのを見たという証言が〔⑤〕です。そして，この証人が昔から被告人と犬猿の仲である旨示す証拠が〔⑦〕です。また，被告人が犯行推定時刻に別の場所で飲食しているのを見た，という被告人に有利な証言をした証人が，実は被告人の商売がたきであったという事実を示す証拠が〔⑧〕となります。 | ⑥補助証拠<br>⑦弾劾証拠<br>⑧増強証拠 |
| □ 人証は人が供述証拠を提供する場合で，証拠調べの方式は〔⑨〕です。証人や鑑定人がこれにあたります。 | ⑨尋問 |

⑩証拠書類
⑪状態
⑫朗読
⑬心証
⑭証拠能力
⑮証明力
⑯厳格な証明
⑰自由な証明
⑱量刑事情
⑲違法収集
⑳反対尋問

□　書証は証拠が書面になっている場合で，2つに分けられます。第一は，〔⑩〕と言われるもので，書面の内容だけが証拠になっているものです。第二は，証拠物たる書面と呼ばれるもので，書面の内容だけでなくその書面の〔⑪〕も証拠になります。

□　証拠書類の取調べ方法は〔⑫〕です。

□　証拠は証拠調べにより，裁判官の〔⑬〕に影響を与えてその効果を発揮します。証拠調べが許容されるための要件として〔⑭〕が要求されます。他方，その証拠がどれくらい犯罪事実を証明できているかという程度の問題が〔⑮〕です。

□　〔⑯〕とは，証拠能力ある証拠を法定の手続に従って取り調べて行う証明をいいます。他方，〔⑰〕とは，証拠を適当な方法で取り調べて行う証明をいいます。これは〔⑯〕を必要とする犯罪事実と比べて，重要でない事実に妥当します。

□　被告人の経歴や悪性格などの〔⑱〕は，証拠がさまざまであり，多くの資料に基づいて総合的に判断すべきなので，〔⑰〕で足りるとされています。

□　法律的関連性を欠くとされる代表例としては，次の3つがあります。第一は伝聞法則に反する場合，第二に自白法則に反する場合，第三に〔⑲〕証拠排除法則に反する場合です。

□　伝聞証拠においては，〔⑳〕をすることはできません。それゆえに伝聞証拠の証拠能力は，原則として否定されます。

□　伝聞例外書面は，次の２つに大別できます。第一は被告人以外が作成した供述書と被告人以外の供述を記録した録取書であり，第二は被告人〔㉑〕が作成した供述書・被告人〔㉑〕の供述録取書です。　㉑本人

□〔㉒〕の場合，供述者の死亡・病気などで供述できない場合・供述者が公判準備または公判期日において前の供述と異なった供述をした場合という必要性の要件だけで伝聞例外が認められ，特信性の要件は不要と考えられています。　㉒裁面調書

□〔㉓〕とは，検察官が参考人や被疑者を取り調べてその供述を録取した書面のことです。　㉓検面調書

□〔㉔〕とは，警察官（司法警察職員）が参考人（たとえば犯罪の第一発見者や目撃者）や被疑者を取り調べてその供述を録取した書面のことです。　㉔員面調書

□〔㉕〕とは，戸籍謄本などの公務文書，商業帳簿などの営業上正確な記載が期待できる業務文書またはそれ以外でも特に信用すべき情況の下に作成された書面で，その信用性の高さから無条件に証拠とすることができます。　㉕特に信用できる書面

□〔㉖〕理論は，違法な手続で収集された証拠によって収集された他の証拠も排除されると考える理論です。　㉖毒樹の果実

□　原則として，証拠の評価は裁判官の自由な判断に委ねられます。これを〔㉗〕と言　㉗自由心証主義

㉘法定証拠主義
㉙自白法則

います。戦前は，裁判官の心証に制限をしていましたが，これを〔㉘〕と言います。もっとも，裁判官の〔㉗〕にも〔㉙〕という例外があります。

㉚不利益
㉛自白

□　「何人も，自己に〔㉚〕な唯一の証拠が本人の〔㉛〕である場合には，有罪とされ，または刑罰を科せられない」(憲法38条3項）とされています。

㉜唯一

□　さらに「被告人は，公判廷における〔㉛〕であると否とを問わず，その〔㉛〕が自己に不利益な〔㉜〕の証拠である場合には有罪とされない」(刑訴法319条2項）と規定されています。

㉝無罪推定
㉞検察官

□　原則として，「疑わしきは被告人の利益に」「無辜の不処罰」という法格言に現れるとおり，〔㉝〕の原則がはたらきます。それゆえ〔㉞〕が原則として挙証責任を負うと考えられます。

㉟証明の程度

□　〔㉟〕については，判例は「通常人なら誰でも疑いをさしはさまない程度の真実らしいとの確信」と表現します。

㊱転換
㊲同時傷害
㊳名誉毀損
㊴被告人

□　例外的に挙証責任が被告人側に課せられる場合があります。挙証責任の〔㊱〕と呼ばれます。法に明文の規定がある場合として，刑法207条の〔㊲〕の特例の場合，230条の2の〔㊳〕罪についての公共の利害に関する事実についての特例などが挙げられます。いずれも，〔㊴〕が挙証に失敗すると，処罰されます。

# 6時間目
# 刑事訴訟その6
# 裁判

▶ここで学ぶこと

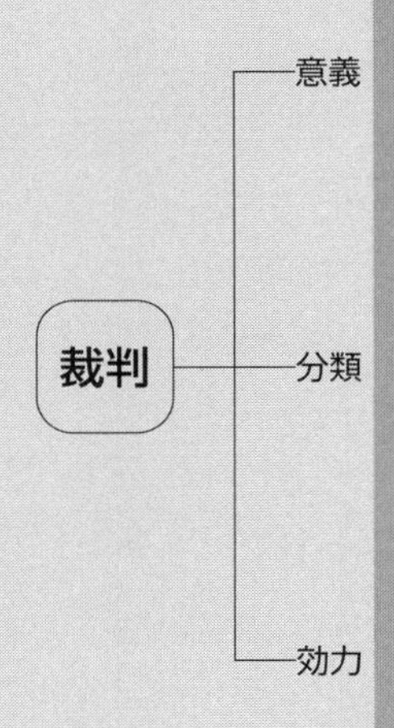

●1●
## 裁判とは

裁判(さいばん)とは，裁判所または裁判官の意思表示たる訴訟行為をいいます。

裁判の種類は，裁判の形式による分類と裁判の内容による分類をすることができます。

●2●
## 形式による裁判の分類

形式による裁判の分類は，次の通りです。

**裁判――形式面の分類**

**①判決**

**口頭弁論が要求される裁判所による裁判。不服の場合には控訴(こうそ)・上告(じょうこく)することができます。372条，405条，43条1項**

**②決定**

**口頭弁論が要求されない裁判所による裁判。不服の場合には抗告(こうこく)することができます。43条2項，419条**

**③命令**

**口頭弁論が要求されない裁判官による裁判。不服の場合には準抗告(じゅんこうこく)することができます。43条2項，429条**

●3●
## 内容による裁判の分類

### ❖有罪判決

犯罪の証明があったときは有罪判決が言い渡されます（333条1項）。

その際に，刑の言渡し，あるいは，刑の免除の言渡しがされます（333〜334条）。

有罪の言渡しにおいては，次の3つを示さなければなりません（335条1項）。

**有罪の言渡しで示すべきこと**
**①罪となるべき事実**
**②証拠の題目（だいもく）**
**③法令の適用**

訴因に示された犯罪事実の全部を認定される場合に犯罪の証明があったといえることは間違いありませんが，訴因に示された犯罪事実の一部を認める一部認定もできます。

### ❖無罪判決

被告事件が罪とならないとき，または被告事件について犯罪の証明がないときに無罪判決が言い渡されます（336条）。

無罪判決の言い渡しに際しては，336条のいずれかにあたることを示せば足りるものとして扱われています。

罪とならないときというのは，法律上犯罪の成立が否定される場合のことです。

次のような場合が挙げられます。

**無罪となる場合の例**
**①構成要件阻却(そきゃく)事由があるとき**
**②違法性阻却事由があるとき**
**③責任阻却事由があるとき**

被告事件について犯罪の証明がないときというのは，裁判官が犯罪事実の存在について合理的疑いをいれない程度の心証を形成できなかった，すなわち証拠がない，または不十分であった場合です。

●4●
## 裁判の効力

裁判が確定すると，以下のような効力が生じます。

裁判機関内で成立した判断が外部に認識できるようになる段階で外部的に成立したといいます。期間の経過などにより上訴などの不服申立て方法によって争うことができない状態になった場合に，裁判が形式的に確定したといいます。

これにより，一事不再理効(いちじふさいりこう)が生じます。

裁判が形式的に確定した後は，裁判機関の判断内容も確定して，これによって内容的確定力(ないようてきかくていりょく)が生じます。

## 裁判の効力
## ①内容的確定力——執行力と既判力
## ②一事不再理の効力

### ❖内容的確定力

裁判の内容的確定によって執行力が生じます（471条）。

さらに**別訴を提起しても，もはや裁判の意思表示の内容を取り消したり変更することができなくなります。これが既判力**です。後訴での異なった判断が許されなくなることから，再審判を妨げる効力も生じます。

被告人の地位を安定させ，刑事訴訟の結果の安定を図るという趣旨です。

これに反して行う再起訴は，公訴棄却（338条4号）されます。

### ❖一事不再理の効力

**一度審判を経た以上は，同一事件について再度公訴提起することはできないとする原則をいいます。**

もし公訴提起したとしても免訴判決が言い渡されます（337条1号）。

なお，有罪・無罪・免訴の判決が形式的に確定すると効力が発生します（通説）。

その本質につき争いがあります。

第一に，実体裁判の内容的確定力の一部であるとする見解があります。すなわち，事件について判断が確定した以上は，同一事件について後の裁判所を拘束するので，その事件について再起訴ができなくなると考える見解です。

第二に，再度公訴提起することは**二重の危険**になるとする見解です。すなわち，一度個人が刑事訴追を受けた以上，再度刑罰の危険にさらすべきではないと考えます。

### ❖一事不再理効の範囲

効力の及ぶ範囲は3つに分類することができます。

**一事不再理効の及ぶ範囲**
**①客観的範囲　訴因のみならず公訴事実を同一にする範囲**
**②主観的範囲　その判決を受けた被告人のみ**
**③時間的範囲　第一審における判決言い渡し時**

客観的範囲については，現行法は「公訴事実の同一性」がある範囲において，一回で解決する義務を検察官に負わせていると言えます。ですから，その範囲で同時に訴追しなければならない結果，一事不再理の効力もその範囲で生じると考えられます。

訴因変更のできる範囲も
「公訴事実の同一性」を要求していましたね

**[用語チェック]**

①命令
②法令
③一事
④既判力
⑤公訴棄却
⑥免訴

□　裁判の形式には，判決，決定，〔①〕があります。

□　有罪の言渡しにおいては第一に罪となるべき事実，第二に証拠の題目，第三に〔②〕の適用を示さなければなりません。

□　期間の経過などにより上訴などの不服申立て方法によって争うことができなくなった場合に，裁判が形式的に確定したといい，〔③〕不再理効が生じます。

□　裁判が形式的に確定した後は，裁判機関の判断内容も確定して，これによって内容的確定力が生じますが，これには執行力と〔④〕があります。

□　裁判の内容的確定に反して行う再起訴は，〔⑤〕（338条4号）されます。

□　〔③〕不再理とは，一度審判を経た以上は，同一事件について再度公訴提起することはできないとする原則をいいます。もし公訴提起したとしても〔⑥〕判決が言い渡されます（337条1号）。

# 7 時間目
# 刑事訴訟その7
# 救済手続

▶ここで学ぶこと

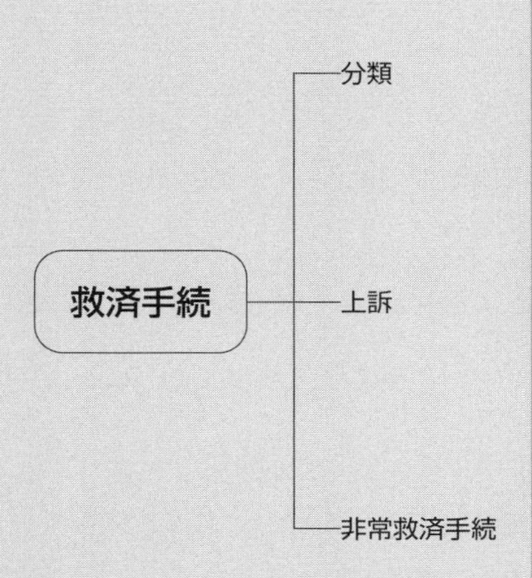

●0●

## 救済手続─誤った処罰を防ぐために

刑事訴訟も人間が運営している以上は，誤審（ごしん）を100％避けることはできません。しかし，無実の人が有罪となり，有罪となるべき人が無罪となることを「仕方ない」では済ませられませんね。

そこで，刑事訴訟法は，上訴（じょうそ）などによる救済制度を設けています。

救済制度は，次のように分類できます。

まず，対象に分けた分類です。

**対象に分けた救済制度の分類**

**①判決　⇒控訴（こうそ）・上告（じょうこく）・再審（さいしん）・非常上告（ひじょうじょうこく）**

**②決定　⇒抗告（こうこく）**

**③命令　⇒準抗告（じゅんこうこく）**

次に，確定判決に対するものか否（いな）かの分類です。

**確定判決に対するものか否かの分類**

**①未確定裁判に対するもの　⇒上訴（じょうそ）（控訴・上告・抗告）**

**②確定判決に対するもの　⇒非常救済手続（再審・非常上告）**

●1●
## 上訴

検察官と被告人

**当事者が申し立てて開始されるのが原則です**（351条）。ただ，被告人の弁護士，親などの法定代理人も被告人のために申し立てることができます（353，355条）。

そして，上訴する場合には，**上訴の利益が必要です**。これは裁判を求める必要性のことです。無罪判決が出た場合には，被告人にもっとも有利な状態と言えるので，上訴を申し立てることはできません。形式裁判である公訴棄却・免訴についても，同様に，被告人の上訴は否定されています。

上訴権は，裁判の告知によって発生して，控訴・上告は14日間（373，414条），即時抗告は3日（422条），特別抗告は5日（433条2項）で消滅します。なお，通常抗告に期間制限はありません。

上訴を申し立てた場合，裁判の確定と執行が停止され，同時に事件が上訴審に移転する効果が生じます。

上訴の効果が及ぶ範囲は原裁判の全部です。もっとも，裁判のうちの一部を上訴することもできます（357条）。

### ❖不利益変更の禁止

**被告人が控訴・上告した場合，または被告人のために控訴・上告した場合には，控訴・上告審で原判決よりも重い刑に変更することはできません**（402，414条）。

351条：検察官または被告人は，上訴をすることができる。

判例は，「重い刑」の判断基準は刑名・執行猶予の有無・訴訟費用の負担など主文の全体から総合的に判断して被告人に不利益か否かを判断するとしています。

被告人が安心して上訴制度を使用できるようになっています。

●2●
## 控訴

控訴とは，第一審判決に対する高等裁判所への不服申立てです。不服申立てするための理由は法定されています（377～383条）。

控訴理由

控訴の際にはこれらの理由を指摘しなければなりません（384条）。

申立ての際には控訴申立て書を第一審裁判所に提出します（374条）。この申立て書が訴訟記録と証拠物と共に控訴裁判所に送付され，控訴審に事件が移転します（刑事訴訟規則235条）。そして，控訴審裁判所が定める期間中までに控訴趣意書を提出しなければなりません。これには，どの点が控訴理由に当たり，誤りであるのかを具体的に書かなければなりません。

控訴審での公判手続は，原則的に第一審公判の規定が準用されます（404条）。もっとも，特則として被告人は原則として出頭義務はないとされています。が，出頭を裁判所が命じることもできます（390条）。

そして，弁護人は弁護士でなければならず，弁論も弁護士がしなければなりません（387，388条）。

そして，証拠調べや被告人質問などは「必要があるとき」に限っておこなわれます（393条1項）。

さらに控訴審は，原判決に控訴趣意書が主張する誤りがあるかどうか調べなければなりません。

そして，控訴裁判所からみて控訴の申立てが上訴期間経過後など法定条件に違反している場合には，控訴棄却となります（385，395条）。控訴趣意書不提出の場合も控訴棄却となります（386条）。申立てが適法でも原判決に控訴理由に該当する誤りが見つからない場合，控訴は理由がないので判決で棄却されます（396条）。

控訴申立てが適法で，しかも控訴理由に該当する誤りがある場合には，判決で原判決が破棄されます（397条）。この場合，次の3つに分けられます（398，399，400条）。

**原判決を破棄する場合**
**①控訴裁判所が自ら判断する「自判」の場合**
**②裁判のやり直しのために事件を第一審裁判所に差し戻す場合**
**③他の裁判所に移送する場合**

自判の場合，被告人側のみが控訴した場合には，原判決よりも重い刑を言渡すことはできません（402条）。

●3●
## 上告

判決に対して最高裁判所に上訴することをいいます。

憲法違反と判例違反の場合のみ上告することができます（405条）。

もっとも，この2つの事由がなくとも，次の場合に原判決を破棄することができます（411条）。

**上告審で原判決を破棄できる場合**
**①判決に影響を及ぼすべき法令違反があること**
**②刑の量定がはなはだしく不当であること**
**③判決に影響をおよぼすような重大な事実誤認があること**
**④再審事由があること**
**⑤判決後に刑の廃止・変更・大赦（たいしゃ）があることに当たり，原判決を破棄しなければ著しく正義に反すると認められる場合**

また，高裁の判決に法令解釈に関する重要な事項を含むと認められる事件については，憲法違反・判例違反がなくても，最高裁判所は上告審として事件を受理することができます（406条）。

上告審の手続は控訴の場合に準じます（414条）。

申立て人は，上告趣意書で上告理由を明示しなければなりません（407条）。上告理由が主張されていても，理由がないことが明らかだと認められるときは，口頭弁論を経ずに判決で上告を棄却できます（408条）。上告に理由がある場合には，原判決は破棄され，次のいずれかのプロセスになります（412, 413条）。

**上告に理由があったときは…**
**①事件を原裁判所・第一審裁判所に差し戻す**
**②他の裁判所に移送する**
**③ただちに判決できる場合には，自判**

①上訴　←未確定の裁判に対して上級裁判所に
是正を求める不服申し立て
②再審　←判決の確定後，事実認定の誤りが発見されたことを
理由として
③非常上告　←判決の確定後，法令に違反したことを
理由として

●4●
## 抗告・準抗告

抗告は決定に対する不服申立てです。準抗告は命令に対する不服申立てです。

抗告は最高裁判所に対する特別抗告とそれ以外の一般抗告に分類できます。

さらに，一般抗告は申立て期間の長短により通常抗告と即時抗告に分類できます。

**抗告の分類**
①一般抗告　通常抗告と即時抗告
②特別抗告

## ❖通常抗告

裁判所の管轄または訴訟手続に関して，判決前にした決定以外の決定を対象とします（419，420条参照）。

もっとも，強制処分に関する決定＝勾留・保釈・押収または押収物の還付（かんぷ）に関する決定および鑑定のためにする留置に関する決定に対しては，直接に抗告を申し立てることができます。

申立て期間を限定する規定はありません。

抗告に理由があると認める場合には原裁判所は原決定を更正（こうせい）しなければなりません（423条）。理由がないと認める場合には申立てを受け取った日から3日以内に抗告裁判所に送付します。

## ❖即時抗告

即時抗告ができる場合は，法律の条文で個別に明示されています（25条，339条2項など）。

速やかにかつ独立に決着をつける必要がある場合といえます。

申立て期間は3日間です（422条）。

## ❖特別抗告

最高裁判所を管轄裁判所とする抗告です。

刑事訴訟法により不服を申し立てることができない決定・命令をその対象とし，申立て理由は憲法違反・判例違反に絞られます（433条1項）。

申立て期間は5日間です（433条2項）。

### ❖準抗告

命令に対する不服申立てです。

対象は429条1項に列挙されている事由です。

忌避申立て却下裁判、勾留・保釈・押収・押収物の還付に関する裁判など

原裁判をした裁判官が属する裁判所に対して行います。

準抗告期間は3日間です（429条4項）。

●5●
## 非常救済手続

### ❖再審

判決が確定してしまった後で，確定判決是正のために行う裁判のやり直しです。趣旨は，無実の被告人の救済手段です。

それゆえに，有罪判決に対してのみ認められています（435条）。

検察官と有罪判決を受けた者が，原則として再審請求権を持ちます（439条）。

再審請求の理由となる事由は435条に限定列挙されています。たとえば，原判決の証拠が偽造だったと確定判決で証明された場合，無罪もしくは免訴を言い渡し，または刑の言い渡しを受けた者に対して刑の免除を言い渡し，または原判決において認めた罪よりも軽い罪を認めるべき明らかな証拠を新たに発見した場合などです。

再審請求をするには，趣意書に原判決の謄本，証拠書類，証拠物を添えて管轄裁判所（対象となる確定判決をした裁判所。438条）に提出します（刑事訴訟規則283条）。

請求に理由があると認められれば，再審開始が決定されます（448 条）。理由がないまたは請求が不適法とされれば請求棄却が決定されます（446 条，447 条）。これに対しては即時抗告ができます（450 条）。

再審開始決定が確定すると，再審請求がされた裁判所で従前（じゅうぜん）どおりの審級で審判が行われます（451 条）。

再審公判では，原判決よりも重い刑を言い渡すことはできません（452 条）。

### ❖非常上告

検事総長が判決確定後にその事件の審判が法令違反であったことを発見した場合に，最高裁判所に対して行う上告です（454 条）。

法令違反だけを対象とする点，検事総長しか申立て権限がない点などが再審と異なります。

これは無実の被告人の救済というよりも，法令違反の再発を防ぐことを目的としています。

非常上告がされた場合，原判決自体に法令違反があるときはその違反部分を破棄し，訴訟手続きが法令に違反したときは，その違反した手続を破棄します（458 条）。非常上告に理由がないときは判決で棄却されます（457 条）。

**[用語チェック]**

|  |  |
|---|---|
| ①非常上告<br>②抗告<br>③準抗告 | □ 判決に対する救済制度として控訴・上告・再審・〔①〕, 決定に対する救済制度として〔②〕, 命令に対する救済制度として〔③〕があります。 |
| ④利益<br>⑤無罪<br>⑥免訴 | □ 上訴する場合には, 上訴の〔④〕が必要です。これは裁判を求める必要性のことです。〔⑤〕判決が出た場合には, 被告人にもっとも有利な状態と言えるので, 上訴を申し立てることができません。形式裁判である公訴棄却・〔⑥〕についても, 被告人の上訴は否定されています。 |
| ⑦14<br>⑧3<br>⑨特別<br>⑩通常 | □ 上訴権は, 裁判の告知によって発生して, 控訴・上告は〔⑦〕日間, 即時抗告は〔⑧〕日間, 〔⑨〕抗告は5日間で消滅します。なお, 〔⑩〕抗告に期間制限はありません。 |
| ⑪高等<br>⑫趣意書 | □ 控訴とは, 第一審判決に対する〔⑪〕裁判所への不服申立てです。申立ての際には控訴申立て書を第一審裁判所に提出します。この申立て書が訴訟記録と証拠物と共に控訴裁判所に送付され, 控訴審に事件が移転します。そして, 控訴審裁判所が定める期間中までに控訴〔⑫〕を提出しなければなりません。 |
| ⑬出頭 | □ 特則として被告人は原則として〔⑬〕義務はないとされていますが, 〔⑬〕を裁判所が命じることもできます。 |

| | |
|---|---|
| □　控訴申立てが適法で，しかも控訴理由に該当する誤りがある場合には，判決で原判決が〔⑭〕されます。この場合，次の3つに分けられます。(1)控訴裁判所が自ら判断する〔⑮〕の場合，(2)裁判のやり直しのために事件を第一審裁判所に〔⑯〕す場合，(3)他の裁判所に〔⑰〕する場合。 | ⑭破棄<br>⑮自判<br>⑯差し戻<br>⑰移送 |
| □〔⑱〕違反と判例違反の場合のみ上告することができます（405条）。もっとも，この2つの事由がなくとも，次の場合に原判決を破棄することができます。(1)判決に影響を及ぼすべき〔⑲〕違反があること，(2)刑の〔⑳〕がはなはだしく不当であること，(3)判決に影響をおよぼすような重大な事実〔㉑〕があること，(4)〔㉒〕事由があること等。 | ⑱憲法<br>⑲法令<br>⑳量定<br>㉑誤認<br>㉒再審 |
| □　上訴は，〔㉓〕の裁判に対して上級裁判所に是正を求める不服申し立てであり，再審は判決の確定〔㉔〕，事実認定の誤りが発見されたことを理由としてなされるものであり，非常上告は判決の確定後，法令に違反したことを理由として，それぞれなされます。 | ㉓未確定<br>㉔後 |
| □　抗告は〔㉕〕に対する不服申立てです。準抗告は〔㉖〕に対する不服申立てです。 | ㉕決定<br>㉖命令 |
| □　抗告は最高裁判所に対する〔㉗〕抗告とそれ以外の一般抗告に分類できます。 | ㉗特別 |
| □〔㉘〕と有罪判決を受けた者が原則として再審請求権を持ちます。 | ㉘検察官 |

# 8時間目
# 刑事訴訟その8
# 略式手続

▶ここで学ぶこと

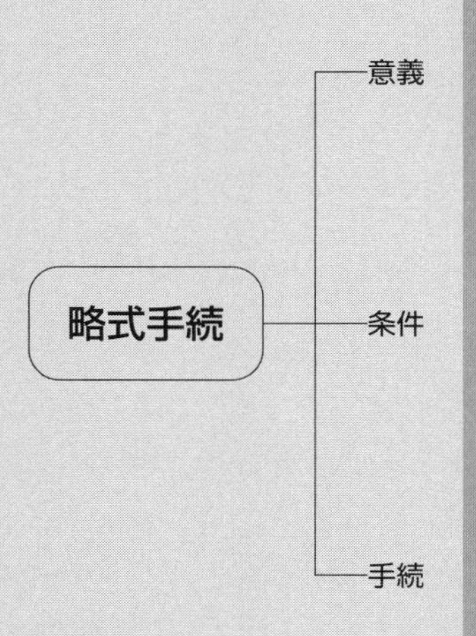

●1●
## 略式手続とは

刑事訴訟法は，人権保障のために慎重な公判手続を定めています。

しかし，被告人が争わない場合には，訴訟経済からいっても，簡単な手続きの方が便利です。

略式手続（りゃくしきてつづき）は，いくつかの簡単な手続の中で，最も重要なものです。

略式手続は，次のようにまとめられます。

**略式手続は…**
**①公判での審理を経ずに**
**②書面審理だけで**
**③被告人に対して**
**④財産刑を科す手続**

略式手続で処理される被告人の数は膨大（ぼうだい）なものです。多くは交通違反や交通事故の過失犯（かしつはん）です。

簡易公判手続（かんいこうはんてつづき）と比べてみましょう。

**簡易公判手続と略式手続の比較**

| | |
|---|---|
| **①簡易公判手続** | **公判での審理手続が簡単** |
| **②略式手続** | **公判での審理手続がない** |

●2●
## 略式手続の条件

略式手続を適用できるのは，以下の場合です（461条）。

**略式手続ができる場合**
**①簡易裁判所の事物管轄（じぶつかんかつ）**
**②50万円以下の罰金または科料が法定刑に含まれるもの**

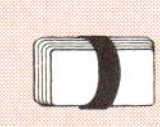

検察官は，被疑者に対して略式手続の意味と内容を理解させなければなりません。「あなたが望めば正式な裁判を受けられるのですよ」と説明し，被疑者が略式手続を理解したうえで，望んでいるかどうかを確認しなければなりません。

被疑者が略式手続に異議を持っていないことは，書面で表明されなければなりません（461条の2）。

●3●
## 略式手続の内容

検察官は，簡易裁判所に起訴状を提出して，略式命令を請求します（462条）。

裁判所は，書類と証拠物を見て，略式命令請求が適法であり，略式手続を使うのが適切であると判断した場合，略式命令を発します。

●4●
## 正式裁判への移行

裁判所は，略式命令請求が適法でない場合や，略式手続を使うのが適切でないと判断した場合，略式命令を発しないで，通常の公判手続に移して審判しなければなりません。

裁判所が略式命令を発した後でも，被告人または検察官は，略式命令の告知から14日以内であれば，正式裁判を請求することができます（465条1項）。

## キオークコーナー8時間目

### [用語チェック]

|  |  |
| --- | --- |
| ①略式手続 | □　被告人が争わない場合には，訴訟経済からいっても，簡単な手続の方が便利なので，〔①〕という制度があります。 |
| ②公判<br>③書面<br>④財産 | □　〔①〕は〔②〕での審理を経ずに，〔③〕審理だけで被告人に対して，〔④〕刑を科す手続です。 |
| ⑤公判 | □　簡易公判手続は，〔⑤〕での審理手続が簡単なものです。 |
| ⑥50<br>⑦検察官<br>⑧書面 | □　〔①〕は，簡易裁判所の事物管轄で，〔⑥〕万円以下の罰金または科料が法定刑に含まれるものに適用できます。〔⑦〕は，被疑者に対して〔①〕の意味と内容を理解させなければなりません。被疑者が〔①〕に異議を持っていないことは，〔⑧〕で表明されなければなりません。 |

# 9時間目
# 刑事訴訟その9
# 少年法

▶ここで学ぶこと

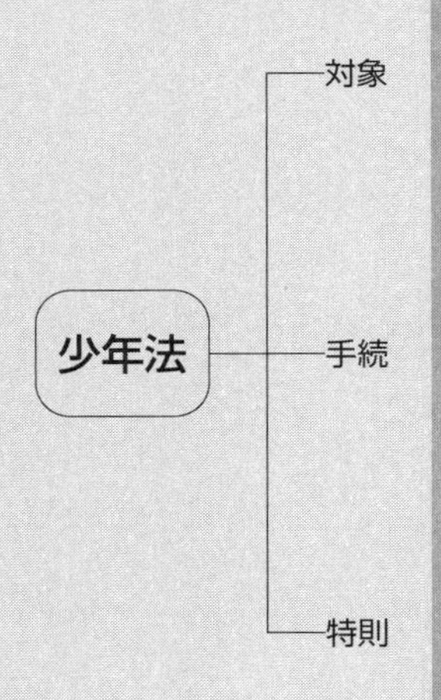

●1●
## 少年法

少年法では20歳未満の少年については，健全な育成を目的として，犯罪行為などの非行をした場合に，特別な取り扱いをすることにしています（少年法1条，2条）。

非行少年の事件の手続と，少年審判（しょうねんしんぱん）の手続が必要です。

●2●
## 少年審判

**少年審判は非行少年の教育的保護を目的として，家庭裁判所で行われる手続です。**刑事手続の1つですが，刑事事件と呼ばず，保護事件（ほごじけん）と呼んでいます。

少年審判に付すべき少年を非行少年（ひこうしょうねん）と言います。非行少年は下記の通りです。

**非行少年**

**①犯罪を犯した少年**

**②触法少年　14歳未満で刑罰法令に触れる行為をしたもの**
「しょくほうしょうねん」と読みます

**③虞犯少年　性格，環境から見て犯罪に走るおそれのある少年**
「ぐはんしょうねん」と読みます

少年法1条：この法律は，少年の健全な育成を期し，非行のある少年に対して性格の矯正（きょうせい）および環境の調整に関する保護処分を行うとともに，少年および少年の福祉を害する成人の刑事事件について特別の措置を講ずることを目的とする。

触法少年と12歳未満の虞犯少年に関しては，児童福祉法による措置が優先されるので，都道府県知事か児童相談所長からの送致が条件になります。

審判に付すべき少年を発見した者は，家庭裁判所に通告しなければなりません。

通告や送致などによって，審判に付すべき少年がいる場合，家庭裁判所は調査をします（少年法8条1項)。調査は，主に家庭裁判所調査官が行います。

家庭裁判所は次のことができます。

**家庭裁判所の権限**

**①少年または保護者に対して，呼び出し状または同行状を発することができる（少年法11条，12条）**

**②少年を少年鑑別所に送致して観護措置をとることができる（少年法17条）**

少年と保護者は，弁護士を付添人として選任できます（少年法10条1項)。

付添人は，刑事事件における弁護人と同じです。

●3●

## 審判手続

少年審判手続は，家庭裁判所の単独裁判官が主催します。検察官はいません。ですから，三面的な訴訟構成をとりません。また非公開です。保護処分は刑罰ではありません。

試験観察という制度があります。これは，処分決定のために，少年を家庭裁判所調査官に観察させる制度です。

●4●
## 終局決定

審判の結果，非行事実の存在と保護処分の必要がある場合，次の決定をします。

**終局決定**
**①保護観察所の保護観察にする**
**②少年院かまたは児童自立支援施設に送致**

平成19年の少年法の改正により，少年院に収容できる年齢の下限は，14歳から「おおむね12歳」に引き下げられています。

また非行事実が死刑，懲役，禁錮にあたる犯罪の場合で，保護処分ではなく刑罰を科す必要がある場合は，検察官に事件を送致します。これが逆送です。

保護処分の決定に対して，次のような救済手段があります(少年法32条)。

**保護処分の決定に対しては…**
**①少年，法定代理人，付添人，から**
**②法令違反，重大な事実誤認，処分の著しい不当を理由として**
**③2週間以内に**
**④高等裁判所に抗告することができる。**

抗告棄却の決定に対しては，憲法・判例違反を理由に，最高裁判所に再抗告を申し立てることができます（少年法35条）。

保護処分取消の制度もあります。これは刑事事件における再審と似ています。いったん保護処分が確定しても，処分継続中に，処分が不適切であることが判明した場合，保護処分を取り消す決定をするのです。

5

## 少年法における刑事訴訟手続の特則

司法警察員は，被疑者が少年の場合，罰金以下の刑にあたる事件では，捜査の後，事件を検察官に送致せず，直接に家庭裁判所に送致します（少年法41条）。また検察官も，被疑者が少年の場合，罰金以下の刑にあたる事件では，捜査の後，家庭裁判所に送致しなければなりません（少年法42条）。

こうして，犯罪を犯したとみられる少年は，すべて家庭裁判所に送られます。犯罪の当時少年であっても
すでに成人となった被疑者については
このような特則は適用されません

少年の被疑者は，やむをえない場合でなければ勾留できません。勾留する場合でも，刑事施設ではなく少年鑑別所に拘禁します（少年法43条3項，48条）。

検察官は少年の被疑者を勾留のかわりに，少年鑑別所送致などの監護措置をとるように家庭裁判所の裁判官に請求できます。結局，少年を被告人として起訴できるのは，逆送決定によって家庭裁判所から検察官に送致された事件だけです。有罪となった少年は，少年刑務所に入ります。

なお**18歳未満の時に犯した罪については，死刑の宣告はできません**（少年法51条参照）。

## キオークコーナー9時間目

**[用語チェック]**

|  |  |
|---|---|
| □　少年法では20歳未満の少年については，健全な育成を目的として，犯罪行為などの〔①〕をした場合に，特別な取り扱いをすることにしています。 | ①非行 |
| □　少年〔②〕は非行少年の教育的保護を目的として，〔③〕裁判所で行われる手続です。刑事手続のひとつですが，刑事事件と呼ばず，〔④〕事件と呼んでいます。 | ②審判<br>③家庭<br>④保護 |
| □　少年審判にすべき少年を非行少年と言います。非行少年は第一に犯罪を犯した少年，第二に〔⑤〕少年，第三に虞犯少年のことです。〔⑤〕少年と12歳未満の虞犯少年に関しては，児童福祉法による措置が優先されるので，審判に付すのは都道府県知事か〔⑥〕所長からの送致が条件になります。 | ⑤触法<br>⑥児童相談 |
| □　通告や送致などによって，審判に付すべき少年がいる場合，家庭裁判所は調査をします。調査は，主に家庭裁判所〔⑦〕が行います。 | ⑦調査官 |
| □　家庭裁判所は，少年または保護者に対して，呼び出し状または〔⑧〕を発することができ，少年を少年〔⑨〕に送致して〔⑩〕を取ることができます。 | ⑧同行状<br>⑨鑑別所<br>⑩観護措置 |
| □　審判の結果，非行事実が存在し保護処分の必要がある場合，保護観察所の保護観察にするか，あるいは〔⑪〕かまたは児童自立支援施設に送致します。ただし，非行事 | ⑪少年院 |

⑫禁錮
⑬逆送
⑭法定代理人
⑮法令
⑯ 2
⑰高等
⑱憲法
⑲保護処分
⑳勾留
㉑鑑別所
㉒少年
㉓死刑

実が死刑，懲役，〔⑫〕にあたる犯罪の場合で，保護処分ではなく刑罰を科す必要がある場合は，検察官に事件を送致します。これが〔⑬〕です。

□　保護処分の決定に対して，少年，〔⑭〕，付添人から，〔⑮〕違反，重大な事実誤認，処分の著しい不当を理由として，〔⑯〕週間以内に，〔⑰〕裁判所に抗告できます。

□　抗告棄却の決定に対しては，〔⑱〕違反または判例違反を理由に，最高裁判所に再抗告を申し立てることができます。また〔⑲〕取消の制度もあります。これは刑事事件における再審と似ています。

□　少年の被疑者は，やむをえない場合でなければ〔⑳〕できません。〔⑳〕する場合でも，刑事施設ではなく少年〔㉑〕に拘禁します。

□　有罪となった少年は，〔㉒〕刑務所に入ります。なお 18 歳未満の時に犯した罪については，〔㉓〕の宣告はできません。

# 巻末付録

- 実体的真実主義
- 別件逮捕
- 自白
- 被告人以外の者の供述書面の証拠能力

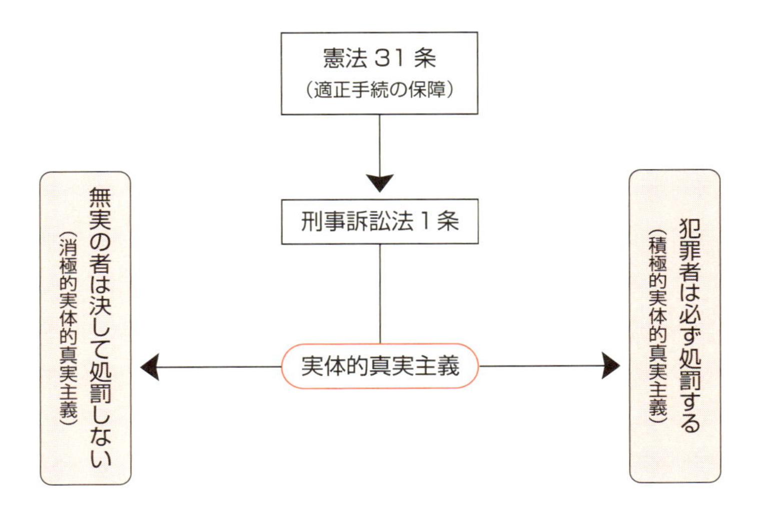
実体的真実主義
憲法31条
（適正手続の保障）
刑事訴訟法１条
実体的真実主義
無実の者は決して処罰しない
（消極的実体的真実主義）
犯罪者は必ず処罰する
（積極的実体的真実主義）

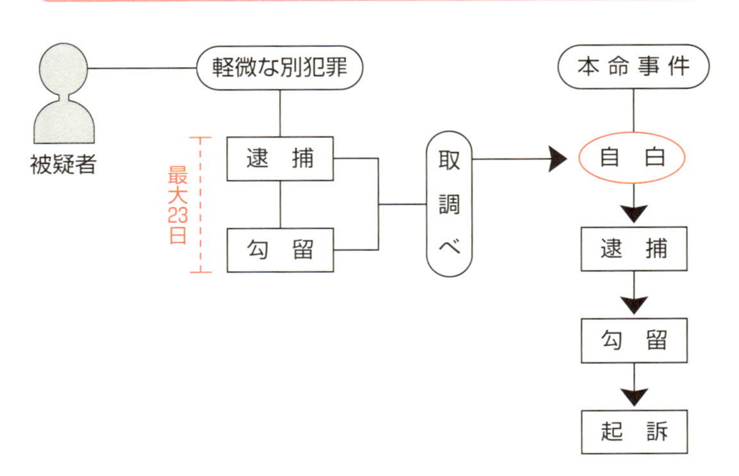
別件逮捕
被疑者
軽微な別犯罪
逮　捕
勾　留
最大23日
取調べ
本命事件
自　白
逮　捕
勾　留
起　訴

## 自白

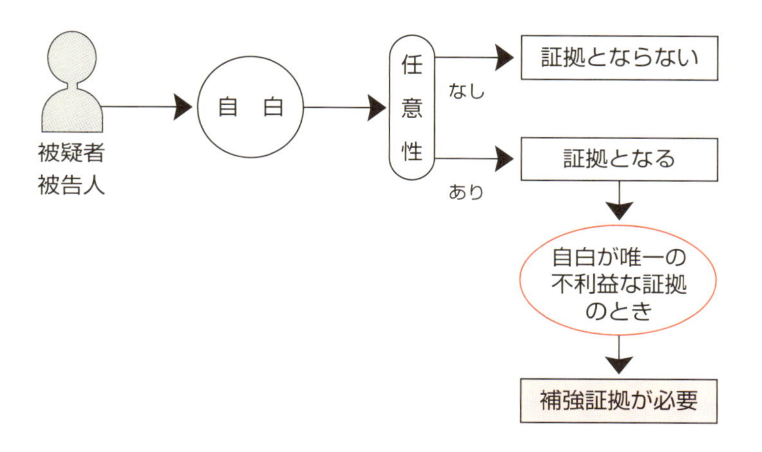


## 被告人以外の者の供述書面の証拠能力

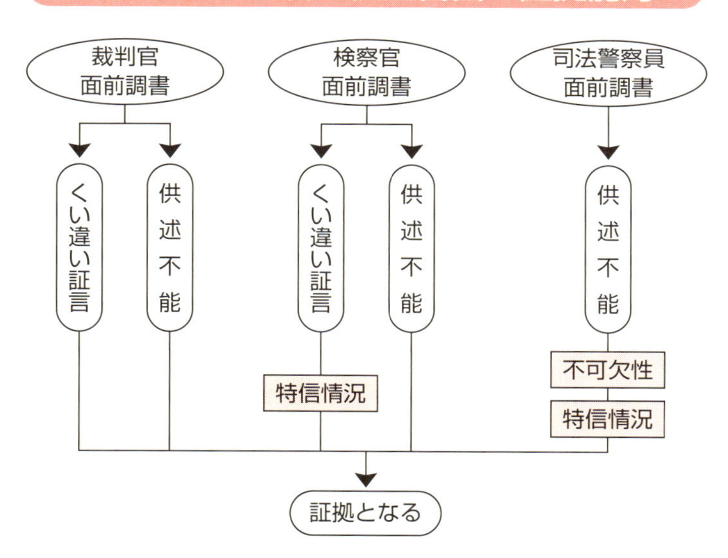

# 本書関連の法律条文一覧

▷本書に出てくる法律条文のうち大事なものをここに条文順にまとめました。
▷現代的表記に統一し，句読点等を適宜補ってあります。

## 刑事訴訟法

第 1 条▶この法律は，刑事事件につき，公共の福祉の維持と個人の基本的人権の保障とを全うしつつ，事案の真相を明らかにし，刑罰法令を適正かつ迅速に適用実現することを目的とする。

第 20 条▶裁判官は，次に掲げる場合には，職務の執行から除斥される。

1　裁判官が被害者であるとき。
2　裁判官が被告人または被害者の親族であるとき，またはあったとき。
3　裁判官が被告人または被害者の法定代理人，後見監督人，保佐人，保佐監督人，補助人または補助監督人であるとき。
4　裁判官が事件について証人または鑑定人となったとき。
5　裁判官が事件について被告人の代理人，弁護人または補佐人となったとき。
6　裁判官が事件について検察官または司法警察員の職務を行ったとき。
7　裁判官が事件について第 266 条第 2 号の決定，略式命令，前審の裁判，第 398 条ないし第 400 条，第 412 条もしくは第 413 条の規定により差し戻し，もしくは移送された場合における原判決またはこれらの裁判の基礎となった取調べに関与したとき。ただし，受託裁判官として関与した場合は，この限りでない。

第 21 条▶❶裁判官が職務の執行から除斥されるべきとき，または不公平な裁判をする虞があるときは，検察官または被告人は，これを忌避することができる。

第 30 条▶❷被告人または被疑者の法定代理人，保佐人，配偶者，直系の親族および兄弟姉妹は，独立して弁護人を選任することができる。

第 36 条▶被告人が貧困その他の事由により弁護人を選任することができないときは，裁判所は，その請求により，被告人のため弁護人を附しなければならない。ただし，被告人以外の者が選任した弁護人がある場合は，この限りでない。

第 37 条▶左の場合に被告人に弁護人がないときは，裁判所は，職権で弁護人を附することができる。

1　被告人が未成年者であるとき。
2　被告人が年齢 70 年以上の者であるとき。
3　被告人が耳の聞えない者または口のきけない者であるとき。

4　被告人が心神喪失者または心神耗弱者である疑があるとき。
5　その他必要と認めるとき。

第39条▶❶身体の拘束を受けている被告人または被疑者は，弁護人または弁護人を選任することができる者の依頼により弁護人となろうとする者（弁護士でない者にあっては，第31条第2項の許可があった後に限る。）と立会人なくして接見し，または書類もしくは物の授受をすることができる。

❸検察官，検察事務官または司法警察職員（司法警察員および司法巡査をいう。以下同じ。）は，捜査のため必要があるときは，公訴の提起前に限り，第1項の接見または授受に関し，その日時，場所および時間を指定することができる。ただし，その指定は，被疑者が防禦の準備をする権利を不当に制限するようなものであってはならない。

第53条▶❶何人も，被告事件の終結後，訴訟記録を閲覧することができる。ただし，訴訟記録の保存または裁判所もしくは検察庁の事務に支障のあるときは，この限りでない。

第57条▶裁判所は，裁判所の規則で定める相当の猶予期間を置いて，被告人を召喚することができる。

第58条▶裁判所は，次の場合には，被告人を勾引することができる。
1　被告人が定まった住居を有しないとき。
2　被告人が，正当な理由がなく，召喚に応じないとき，または応じないおそれがあるとき。

第59条▶勾引した被告人は，裁判所に引致した時から24時間以内にこれを釈放しなければならない。ただし，その時間内に勾留状が発せられたときは，この限りでない。

第60条▶裁判所は，被告人が罪を犯したことを疑うに足りる相当な理由がある場合で，左の各号の一にあたるときはこれを勾留することができる。
1　被告人が定まった住居を有しないとき。
2　被告人が罪証を隠滅すると疑うに足りる相当な理由があるとき。
3　被告人が逃亡しまたは逃亡すると疑うに足りる相当な理由があるとき。

❷勾留の期間は，公訴の提起があった日から2箇月とする。特に継続の必要がある場合においては，具体的にその理由を附した決定で，1箇月ごとにこれを更新することができる。ただし，第89条第1号，第3号，第4号または第6号にあたる場合を除いては，更新は，一回に限るものとする。

第61条▶被告人の勾留は，被告人に対し被告事件を告げこれに関する陳述を聴いた後でなければ，これをすることができない。ただし，被告人が逃亡した場合は，この限りでない。

第62条▶被告人の召喚，勾引または勾留は，召喚状，勾引状または勾留状を発してこれをしなければならない。

第68条▶裁判所は，必要があるときは，指定の場所に被告人の出頭または同行を命ずることができる。被告人が正当な理由がなくこれに応じないときは，その場所に勾引することができる。この場合には，第59条の期間は，被告人をその場所に引致した時からこれを起算する。

第73条▶❸勾引状または勾留状を所持しないためこれを示すことができない場合において，急速を要するときは，前2項の規定にかかわらず，被告人に対し公訴事実の要旨および令状が発せられている旨を告げて，その執行をすることができる。ただし，令状は，できる限り速やかにこれを示さなければならない。

第76条▶❶被告人を勾引したときは，直ちに被告人に対し，公訴事実の要旨および弁護人を選任することができる旨，ならびに貧困その他の事由により自ら弁護人を選任することができないときは弁護人の選任を請求することができる旨を告げなければならない。ただし，被告人に弁護人があるときは，公訴事実の要旨を告げれば足りる。

第87条▶❶勾留の理由または勾留の必要がなくなったときは，裁判所は，検察官，勾留されている被告人もしくはその弁護人，法定代理人，保佐人，配偶者，直系の親族もしくは兄弟姉妹の請求により，または職権で，決定を以て勾留を取り消さなければならない。

第88条▶❶勾留されている被告人またはその弁護人，法定代理人，保佐人，配偶者，直系の親族もしくは兄弟姉妹は，保釈の請求をすることができる。

第90条▶裁判所は，保釈された場合に被告人が逃亡し又は罪証を隠滅するおそれの程度のほか，身体の拘束の継続により被告人が受ける健康上，経済上，社会生活上又は防御の準備上の不利益の程度その他の事情を考慮し，適当と認めるときは，職権で保釈を許すことができる。

第99条の2▶裁判所は，必要があるときは，記録命令付差押え（電磁的記録を保管する者その他電磁的記録を利用する権限を有する者に命じて必要な電磁的記録を記録媒体に記録させ，又は印刷させた上，当該記録媒体を差し押さえることをいう。以下同じ。）をすることができる。

第102条▶裁判所は，必要があるときは，被告人の身体，物または住居その他の場所に就き，捜索をすることができる。

❷被告人以外の者の身体，物または住居その他の場所については，押収すべき物の存在を認めるに足りる状況のある場合に限り，捜索をすることができる。

第110条▶差押状，記録命令付差押状または捜索状は，処分を受ける者にこれを示さなければならない。

第111条▶差押状，記録命令付差押状または捜索状の執行については，錠をはずし，封を開き，その他必要な処分をすることができる。公判廷で差押えまたは捜索をする場合も，同様である。
❷前項の処分は，押収物についても，これをすることができる。
第113条▶❶検察官，被告人または弁護人は，差押状，記録命令付差押状または捜索状の執行に立ち会うことができる。ただし，身体の拘束を受けている被告人は，この限りでない。
第114条▶公務所内で差押状，記録命令付差押状または捜索状の執行をするときは，その長またはこれに代るべき者に通知してその処分に立ち会わせなければならない。
❷前項の規定による場合を除いて，人の住居または人の看守する邸宅，建造物もしくは船舶内で差押状または捜索状の執行をするときは，住居主もしくは看守者またはこれらの者に代るべき者をこれに立ち会わせなければならない。これらの者を立ち会わせることができないときは，隣人または地方公共団体の職員を立ち会わせなければならない。
第119条▶捜索をした場合において証拠物または没収すべきものがないときは，捜索を受けた者の請求により，その旨の証明書を交付しなければならない。
第120条▶押収をした場合には，その目録を作り，所有者，所持者もしくは保管者（略）またはこれらの者に代わるべき者に，これを交付しなければならない。
第142条▶第111条の2から第114条，第118条および第125条の規定は，検証についてこれを準用する。
第157条▶❶検察官，被告人または弁護人は，証人の尋問に立ち会うことができる。
❸第1項に規定する者は，証人の尋問に立ち会ったときは，裁判長に告げて，その証人を尋問することができる。
第179条▶❶被告人，被疑者または弁護人は，あらかじめ証拠を保全しておかなければその証拠を使用することが困難な事情があるときは，第一回の公判期日前に限り，裁判官に押収，捜索，検証，証人の尋問または鑑定の処分を請求することができる。
第189条▶警察官は，それぞれ，他の法律または国家公安委員会もしくは都道府県公安委員会の定めるところにより，司法警察職員として職務を行う。
❷司法警察職員は，犯罪があると思料するときは，犯人および証拠を捜査するものとする。
第191条▶検察官は，必要と認めるときは，自ら犯罪を捜査することができる。

第192条▶検察官と都道府県公安委員会および司法警察職員とは，捜査に関し，互いに協力しなければならない。

第193条▶検察官は，その管轄区域により，司法警察職員に対し，その捜査に関し，必要な一般的指示をすることができる。この場合における指示は，捜査を適正にし，その他公訴の遂行を全うするために必要な事項に関する一般的な準則を定めることによって行うものとする。

❷検察官は，その管轄区域により，司法警察職員に対し，捜査の協力を求めるため必要な一般的指揮をすることができる。

❸検察官は，自ら犯罪を捜査する場合において必要があるときは，司法警察職員を指揮して捜査の補助をさせることができる。

第197条▶❶捜査については，その目的を達するため必要な取調べをすることができる。ただし，強制の処分は，この法律に特別の定めのある場合でなければ，これをすることができない。

第198条▶❷前項の取調べに際しては，被疑者に対し，あらかじめ，自己の意思に反して供述をする必要がない旨を告げなければならない。

❸被疑者の供述は，これを調書に録取することができる。

❹前項の調書は，これを被疑者に閲覧させ，または読み聞かせて，誤りがないかどうかを問い，被疑者が増減変更の申立てをしたときは，その供述を調書に記載しなければならない。

❺被疑者が，調書に誤りのないことを申し立てたときは，これに署名押印することを求めることができる。ただし，これを拒絶した場合は，この限りでない。

第199条▶検察官，検察事務官または司法警察職員は，被疑者が罪を犯したことを疑うに足りる相当な理由があるときは，裁判官のあらかじめ発する逮捕状により，これを逮捕することができる。ただし，30万円（刑法，暴力行為等処罰に関する法律及び経済関係罰則の整備に関する法律の罪以外の罪については，当分の間，2万円）以下の罰金，拘留または科料に当たる罪については，被疑者が定まった住居を有しない場合または正当な理由がなく前条の規定による出頭の求めに応じない場合に限る。

❷裁判官は，被疑者が罪を犯したことを疑うに足りる相当な理由があると認めるときは，検察官または司法警察員（警察官たる司法警察員については，国家公安委員会または都道府県公安委員会が指定する警部以上の者に限る。以下本条において同じ。）の請求により，前項の逮捕状を発する。ただし，明らかに逮捕の必要がないと認めるときは，この限りでない。

第201条▶逮捕状により被疑者を逮捕するには，逮捕状を被疑者に示さなければならない。

❷第73条第3項の規定は，逮捕状により被疑者を逮捕する場合にこれを

準用する。

第202条▶検察事務官または司法巡査が逮捕状により被疑者を逮捕したときは，直ちに，検察事務官はこれを検察官に，司法巡査はこれを司法警察員に引致しなければならない。

第203条▶司法警察員は，逮捕状により被疑者を逮捕したとき，または逮捕状により逮捕された被疑者を受け取ったときは，直ちに犯罪事実の要旨および弁護人を選任することができる旨を告げた上，弁解の機会を与え，留置の必要がないと思料するときは直ちにこれを釈放し，留置の必要があると思料するときは被疑者が身体を拘束された時から48時間以内に書類および証拠物とともにこれを検察官に送致する手続をしなければならない。

❷前項の場合において，被疑者に弁護人の有無を尋ね，弁護人があるときは，弁護人を選任することができる旨は，これを告げることを要しない。

第204条▶検察官は，逮捕状により被疑者を逮捕したとき，または逮捕状により逮捕された被疑者（前条の規定により送致された被疑者を除く。）を受け取ったときは，直ちに犯罪事実の要旨および弁護人を選任することができる旨を告げた上，弁解の機会を与え，留置の必要がないと思料するときは直ちにこれを釈放し，留置の必要があると思料するときは被疑者が身体を拘束された時から48時間以内に裁判官に被疑者の勾留を請求しなければならない。ただし，その時間の制限内に公訴を提起したときは，勾留の請求をすることを要しない。

❹第1項の時間の制限内に勾留の請求または公訴の提起をしないときは，直ちに被疑者を釈放しなければならない。

第205条▶検察官は，第203条の規定により送致された被疑者を受け取ったときは，弁解の機会を与え，留置の必要がないと思料するときは直ちにこれを釈放し，留置の必要があると思料するときは被疑者を受け取った時から24時間以内に裁判官に被疑者の勾留を請求しなければならない。

❷前項の時間の制限は，被疑者が身体を拘束された時から72時間を超えることができない。

❹第1項および第2項の時間の制限内に勾留の請求または公訴の提起をしないときは，直ちに被疑者を釈放しなければならない。

第207条▶前3条の規定による勾留の請求を受けた裁判官は，その処分に関し裁判所または裁判長と同一の権限を有する。ただし，保釈については，この限りでない。

❺裁判官は，第1項の勾留の請求を受けたときは，速やかに勾留状を発しなければならない。ただし，勾留の理由がないと認めるとき，および前条第2項の規定により勾留状を発することができないときは，勾留状を発しないで，直ちに被疑者の釈放を命じなければならない。

第208条▶前条の規定により被疑者を勾留した事件につき，勾留の請求をした日から10日以内に公訴を提起しないときは，検察官は，直ちに被疑者を釈放しなければならない。
❷裁判官は，やむを得ない事由があると認めるときは，検察官の請求により，前項の期間を延長することができる。この期間の延長は，通じて10日を超えることができない。
第208条の2▶裁判官は，刑法第2編第2章ないし第4章または第8章の罪にあたる事件については，検察官の請求により，前条第2項の規定により延長された期間を更に延長することができる。この期間の延長は，通じて5日を超えることができない。
第210条▶検察官，検察事務官または司法警察職員は，死刑または無期もしくは長期3年以上の懲役もしくは禁錮にあたる罪を犯したことを疑うに足りる充分な理由がある場合で，急速を要し，裁判官の逮捕状を求めることができないときは，その理由を告げて被疑者を逮捕することができる。この場合には，直ちに裁判官の逮捕状を求める手続をしなければならない。逮捕状が発せられないときは，直ちに被疑者を釈放しなければならない。
第211条▶前条の規定により被疑者が逮捕された場合には，第199条の規定により被疑者が逮捕された場合に関する規定を準用する。
第212条▶現に罪を行い，または現に罪を行い終った者を現行犯人とする。
❷左の各号の一にあたる者が，罪を行い終ってから間がないと明らかに認められるときは，これを現行犯人とみなす。

1 犯人として追呼されているとき。
2 贓物または明らかに犯罪の用に供したと思われる兇器その他の物を所持しているとき。
3 身体または被服に犯罪の顕著な証跡があるとき。
4 誰何されて逃走しようとするとき。

第214条▶検察官，検察事務官および司法警察職員以外の者は，現行犯人を逮捕したときは，直ちにこれを地方検察庁もしくは区検察庁の検察官または司法警察職員に引き渡さなければならない。
第215条▶❶司法巡査は，現行犯人を受け取ったときは，速やかにこれを司法警察員に引致しなければならない。
第216条▶現行犯人が逮捕された場合には，第199条の規定により被疑者が逮捕された場合に関する規定を準用する。
第217条▶30万円（刑法，暴力行為等処罰に関する法律および経済関係罰則の整備に関する法律の罪以外の罪については，当分の間，2万円）以下の罰金，拘留または科料に当たる罪の現行犯については，犯人の住居もしくは氏名が明らかでない場合，または犯人が逃亡するおそれがある場合に限り，第213条から前条までの規定を適用する。

第218条▶❶検察官，検察事務官または司法警察職員は，犯罪の捜査をするについて必要があるときは，裁判官の発する令状により，差押え，捜索または検証をすることができる。この場合において身体の検査は，身体検査令状によらなければならない。

第219条▶❶前条の令状には，被疑者もしくは被告人の氏名，罪名，差し押さえるべき物，記録させもしくは印刷させるべき電磁的記録およびこれを記録させもしくは印刷させるべき者，捜索すべき場所，身体もしくは物，検証すべき場所もしくは物または検査すべき身体および身体の検査に関する条件，有効期間およびその期間経過後は差押え，捜索または検証に着手することができず令状はこれを返還しなければならない旨並びに発付の年月日その他裁判所の規則で定める事項を記載し，裁判官が，これに記名押印しなければならない。

第220条▶❶検察官，検察事務官または司法警察職員は，第199条の規定により被疑者を逮捕する場合または現行犯人を逮捕する場合において必要があるときは，左の処分をすることができる。第210条の規定により被疑者を逮捕する場合において必要があるときも，同様である。

1　人の住居または人の看守する邸宅，建造物もしくは船舶内に入り被疑者の捜索をすること。

2　逮捕の現場で差押え，捜索または検証をすること。

第222条▶❶第99条第1項，第100条，第102条から第105条，第110条から第112条，第114条，第115条および第118条から第124条までの規定は，検察官，検察事務官または司法警察職員が第218条，第220条および前条の規定によってする押収または捜索について，第110条，第112条，第114条，第118条，第129条，第131条および第137条ないし第140条の規定は，検察官，検察事務官または司法警察職員が第218条または第220条の規定によってする検証についてこれを準用する。ただし，司法巡査は，第122条ないし第124条に規定する処分をすることができない。

第223条▶検察官，検察事務官または司法警察職員は，犯罪の捜査をするについて必要があるときは，被疑者以外の者の出頭を求め，これを取り調べ，またはこれに鑑定，通訳もしくは翻訳を嘱託することができる。

❷第198条第1項但書および第3項ないし第5項の規定は，前項の場合にこれを準用する。

第226条▶犯罪の捜査に欠くことのできない知識を有すると明らかに認められる者が，第223条第1項の規定による取調べに対して，出頭または供述を拒んだ場合には，第一回の公判期日前に限り，検察官は，裁判官にその者の証人尋問を請求することができる。

第227条▶❶第223条第1項の規定による検察官，検察事務官または司法警察職員の取調べに際して任意の供述をした者が，公判期日においては圧迫を受け前にした供述と異る供述をする虞があり，かつ，その者の供述が犯罪の証明に欠くことができないと認められる場合には，第一回の公判期日前に限り，検察官は，裁判官にその者の証人尋問を請求することができる。

第228条▶❶前2条の請求を受けた裁判官は，証人の尋問に関し，裁判所または裁判長と同一の権限を有する。

第230条▶犯罪により害を被った者は，告訴をすることができる。

第231条▶被害者の法定代理人は，独立して告訴をすることができる。

❷被害者が死亡したときは，その配偶者，直系の親族または兄弟姉妹は，告訴をすることができる。ただし，被害者の明示した意思に反することはできない。

第232条▶被害者の法定代理人が被疑者であるとき，被疑者の配偶者であるとき，または被疑者の4親等内の血族もしくは3親等内の姻族であるときは，被害者の親族は，独立して告訴をすることができる。

第239条▶❶何人でも，犯罪があると思料するときは，告発をすることができる。

第241条▶告訴または告発は，書面または口頭で検察官または司法警察員に，これをしなければならない。

❷検察官または司法警察員は，口頭による告訴または告発を受けたときは，調書を作らなければならない。

第242条▶司法警察員は，告訴または告発を受けたときは，速やかにこれに関する書類および証拠物を検察官に送付しなければならない。

第245条▶第241条および第242条の規定は，自首についてこれを準用する。

第246条▶司法警察員は，犯罪の捜査をしたときは，この法律に特別の定のある場合を除いては，速やかに書類及び証拠物とともに事件を検察官に送致しなければならない。ただし，検察官が指定した事件については，この限りでない。

第247条▶公訴は，検察官がこれを行う。

第248条▶犯人の性格，年齢および境遇，犯罪の軽重および情状ならびに犯罪後の情況により訴追を必要としないときは，公訴を提起しないことができる。

第250条▶時効は，人を死亡させた罪であつて禁錮以上の刑に当たるもの（死刑に当たるものを除く。）については，次に掲げる期間を経過することによつて完成する。

1　無期の懲役又は禁錮に当たる罪については30年

2　長期20年の懲役又は禁錮に当たる罪については20年
3　前2号に掲げる罪以外の罪については10年

❷時効は，人を死亡させた罪であつて禁錮以上の刑に当たるもの以外の罪については，次に掲げる期間を経過することによつて完成する。

1　死刑に当たる罪については25年
2　無期の懲役または禁錮に当たる罪については15年
3　長期15年以上の懲役又は禁錮に当たる罪については10年
4　長期15年未満の懲役または禁錮に当たる罪については7年
5　長期10年未満の懲役または禁錮に当たる罪については5年
6　長期5年未満の懲役もしくは禁錮または罰金に当たる罪については3年
7　拘留または科料に当たる罪については1年

第253条▶❶時効は，犯罪行為が終った時から進行する。

第256条▶公訴の提起は，起訴状を提出してこれをしなければならない。

❷　起訴状には，左の事項を記載しなければならない。

1　被告人の氏名その他被告人を特定するに足りる事項
2　公訴事実
3　罪名

❸公訴事実は，訴因を明示してこれを記載しなければならない。訴因を明示するには，できる限り日時，場所および方法を以て罪となるべき事実を特定してこれをしなければならない。

❻起訴状には，裁判官に事件につき予断を生ぜしめる虞のある書類その他の物を添附し，またはその内容を引用してはならない。

第260条▶検察官は，告訴，告発または請求のあった事件について，公訴を提起し，またはこれを提起しない処分をしたときは，速やかにその旨を告訴人，告発人または請求人に通知しなければならない。公訴を取り消し，または事件を他の検察庁の検察官に送致したときも，同様である。

第261条▶検察官は，告訴，告発または請求のあった事件について公訴を提起しない処分をした場合において，告訴人，告発人または請求人の請求があるときは，速やかに告訴人，告発人または請求人にその理由を告げなければならない。

第273条▶❷公判期日には，被告人を召喚しなければならない。

第274条▶裁判所の構内にいる被告人に対し公判期日を通知したときは，召喚状の送達があった場合と同一の効力を有する。

第276条▶❶裁判所は，検察官，被告人もしくは弁護人の請求により，または職権で，公判期日を変更することができる。

第288条▶❷裁判長は，被告人を在廷させるため，または法廷の秩序を維持するため，相当な処分をすることができる。
第289条▶死刑または無期もしくは長期3年を超える懲役もしくは禁錮にあたる事件を審理する場合には，弁護人がなければ開廷することはできない。
❷弁護人がなければ開廷することができない場合において，弁護人が出頭しないとき，または弁護人がないときは，裁判長は，職権で弁護人を附しなければならない。
第291条▶検察官は，まず，起訴状を朗読しなければならない。
❹裁判長は，起訴状の朗読が終った後，被告人に対し，終始沈黙し，または個々の質問に対し陳述を拒むことができる旨，その他裁判所の規則で定める被告人の権利を保護するため必要な事項を告げた上，被告人および弁護人に対し，被告事件について陳述する機会を与えなければならない。
第292条▶証拠調べは，第291条の手続が終った後，これを行う。
第293条▶証拠調べが終った後，検察官は，事実および法律の適用について意見を陳述しなければならない。
❷被告人および弁護人は，意見を陳述することができる。
第294条▶公判期日における訴訟の指揮は，裁判長がこれを行う。
第296条▶証拠調のはじめに，検察官は，証拠により証明すべき事実を明らかにしなければならない。ただし，証拠とすることができず，または証拠としてその取調べを請求する意思のない資料に基いて，裁判所に事件について偏見または予断を生ぜしめる虞のある事項を述べることはできない。
第298条▶❶検察官，被告人または弁護人は，証拠調を請求することができる。
第299条▶❶検察官，被告人または弁護人が証人，鑑定人，通訳人または翻訳人の尋問を請求するについては，あらかじめ，相手方に対し，その氏名および住居を知る機会を与えなければならない。証拠書類または証拠物の取調べを請求するについては，あらかじめ，相手方にこれを閲覧する機会を与えなければならない。ただし，相手方に異議のないときは，この限りでない。
第300条▶第321条第1項第2号後段の規定により証拠とすることができる書面については，検察官は，必ずその取調べを請求しなければならない。
第301条▶第322条および第324条第1項の規定により証拠とすることができる被告人の供述が自白である場合には，犯罪事実に関する他の証拠が取り調べられた後でなければ，その取調べを請求することはできない。
第304条▶❶証人，鑑定人，通訳人または翻訳人は，裁判長または陪席の裁判官が，まず，これを尋問する。
第305条▶❶検察官，被告人または弁護人の請求により，証拠書類の取調べをするについては，裁判長は，その取調べを請求した者にこれを朗読させなければならない。ただし，裁判長は，自らこれを朗読し，または陪席の裁判官もしくは裁判所書記官にこれを朗読させることができる。

第 306 条▶❶検察官，被告人または弁護人の請求により，証拠物の取調べをするについては，裁判長は，請求をした者をしてこれを示させなければならない。ただし，裁判長は，自らこれを示し，または陪席の裁判官もしくは裁判所書記にこれを示させることができる。

第 307 条▶証拠物中書面の意義が証拠となるものの取調べをするについては，前条の規定による外，第 305 条の規定による。

第 309 条▶❶検察官，被告人または弁護人は，証拠調べに関し異議を申し立てることができる。

❸裁判所は，前 2 項の申立てについて決定をしなければならない。

第 311 条▶被告人は，終始沈黙し，または個々の質問に対し，供述を拒むことができる。

❷被告人が任意に供述をする場合には，裁判長は，何時でも必要とする事項につき被告人の供述を求めることができる。

❸陪席の裁判官，検察官，弁護人，共同被告人またはその弁護人は，裁判長に告げて，前項の供述を求めることができる。

第 312 条▶裁判所は，検察官の請求があるときは，公訴事実の同一性を害しない限度において，起訴状に記載された訴因または罰条の追加，撤回または変更を許さなければならない。

❷裁判所は，審理の経過に鑑み適当と認めるときは，訴因または罰条を追加または変更すべきことを命ずることができる。

第 313 条▶❶裁判所は，適当と認めるときは，検察官，被告人もしくは弁護人の請求によりまたは職権で，決定を以て，弁論を分離しもしくは併合し，または終結した弁論を再開することができる。

第 316 条の 2▶❶裁判所は，充実した公判の審理を継続的，計画的かつ迅速に行うため必要があると認めるときは，検察官及び被告人又は弁護人の意見を聴いて，第一回公判期日前に，決定で，事件の争点及び証拠を整理するための公判準備として，事件を公判前整理手続に付することができる。

❸公判前整理手続は，この款に定めるところにより，訴訟関係人を出頭させて陳述させ，又は訴訟関係人に書面を提出させる方法により，行うものとする。

第 316 条の 5▶公判前整理手続においては，次に掲げる事項を行うことができる。

1　訴因又は罰条を明確にさせること。

2　訴因又は罰条の追加，撤回又は変更を許すこと。

3　公判期日においてすることを予定している主張を明らかにさせて事件の争点を整理すること。
4　証拠調べの請求をさせること。
5　前号の請求に係る証拠について，その立証趣旨，尋問事項等を明らかにさせること。
6　証拠調べの請求に関する意見（証拠書類について第三百二十六条の同意をするかどうかの意見を含む。）を確かめること。
7　証拠調べをする決定又は証拠調べの請求を却下する決定をすること。
8　証拠調べをする決定をした証拠について，その取調べの順序及び方法を定めること。
9　証拠調べに関する異議の申立てに対して決定をすること。
10　第3目の定めるところにより証拠開示に関する裁定をすること。
11　第三百十六条の三十三第一項の規定による被告事件の手続への参加の申出に対する決定又は当該決定を取り消す決定をすること。
12　公判期日を定め，又は変更することその他公判手続の進行上必要な事項を定めること。

第317条▶事実の認定は，証拠による。

第319条▶強制，拷問または脅迫による自白，不当に長く抑留または拘禁された後の自白その他任意にされたものでない疑いのある自白は，これを証拠とすることができない。

❷被告人は，公判廷における自白であると否とを問わず，その自白が自己に不利益な唯一の証拠である場合には，有罪とされない。

第320条▶❶第321条ないし第328条に規定する場合を除いては，公判期日における供述に代えて書面を証拠とし，または公判期日外における他の者の供述を内容とする供述を証拠とすることはできない。

第321条▶被告人以外の者が作成した供述書またはその者の供述を録取した書面で供述者の署名もしくは押印のあるものは，次に掲げる場合に限り，これを証拠とすることができる。
1　裁判官の面前（第157条の6第1項及び第2項に規定する方法による場合を含む。）における供述を録取した書面については，その供述者が死亡，精神もしくは身体の故障，所在不明もしくは国外にいるため公判準備もしくは公判期日において供述することができないとき，または供述者が公判準備もしくは公判期日において前の供述と異なった供述をしたとき。
2　検察官の面前における供述を録取した書面については，その供述者が死亡，精神もしくは身体の故障，所在不明もしくは国外にいるため公判準備もしくは公判期日において供述することができないとき，または公判準備もしくは公判期日において前の供述と相反するかもしくは実質的に異なつた供述をしたとき。ただし，公判準備または公判期日における供述よりも前の供述を信用すべき特別の情況の存するときに限る。

3 前2号に掲げる書面以外の書面については，供述者が死亡，精神若しくは身体の故障，所在不明または国外にいるため公判準備または公判期日において供述することができず，かつ，その供述が犯罪事実の存否の証明に欠くことができないものであるとき。ただし，その供述が特に信用すべき情況の下にされたものであるときに限る。

❷被告人の公判準備または公判期日における供述を録取した書面は，その供述が任意にされたものであると認めるときに限り，これを証拠とすることができる。

❹鑑定の経過および結果を記載した書面で鑑定人の作成したものについても，前項と同様である。

第322条▶被告人が作成した供述書または被告人の供述を録取した書面で被告人の署名もしくは押印のあるものは，その供述が被告人に不利益な事実の承認を内容とするものであるとき，または特に信用すべき情況の下にされたものであるときに限り，これを証拠とすることができる。ただし，被告人に不利益な事実の承認を内容とする書面は，その承認が自白でない場合においても，第319条の規定に準じ，任意にされたものでない疑があると認めるときは，これを証拠とすることができない。

❷被告人の公判準備または公判期日における供述を録取した書面は，その供述が任意にされたものであると認めるときに限り，これを証拠とすることができる。

第324条▶被告人以外の者の公判準備または公判期日における供述で被告人の供述をその内容とするものについては，第322条の規定を準用する。

❷被告人以外の者の公判準備または公判期日における供述で被告人以外の者の供述をその内容とするものについては，第321条第1項第3号の規定を準用する。

第326条▶検察官および被告人が証拠とすることに同意した書面または供述は，その書面が作成されまたは供述のされたときの情況を考慮し相当と認めるときに限り，第321条ないし前条の規定にかかわらず，これを証拠とすることができる。

第327条▶裁判所は，検察官および被告人または弁護人が合意の上，文書の内容または公判期日に出頭すれば供述することが予想されるその供述の内容を書面に記載して提出したときは，その文書または供述すべき者を取り調べないでも，その書面を証拠とすることができる。この場合においても，その書面の証明力を争うことを妨げない。

第 328 条▶第 321 条ないし第 324 条の規定により証拠とすることができない書面または供述であっても，公判準備または公判期日における被告人，証人その他の者の供述の証明力を争うためには，これを証拠とすることができる。

第 329 条▶被告事件が裁判所の管轄に属しないときは，判決で管轄違いの言渡しをしなければならない。ただし，第 266 条第 2 号の規定により地方裁判所の審判に付された事件については，管轄違の言渡しをすることはできない。

第 335 条▶❶有罪の言渡しをするには，罪となるべき事実，証拠の標目および法令の適用を示さなければならない。

第 336 条▶被告事件が罪とならないとき，または被告事件について犯罪の証明がないときは，判決で無罪の言渡しをしなければならない。

第 337 条▶左の場合には，判決で免訴の言渡しをしなければならない。

1　確定判決を経たとき。

2　犯罪後の法令により刑が廃止されたとき。

3　大赦があったとき。

4　時効が完成したとき。

第 338 条▶左の場合には，判決で公訴を棄却しなければならない。

1　被告人に対して裁判権を有しないとき。

2　第 340 条の規定に違反して公訴が提起されたとき。

3　公訴の提起があった事件について，更に同一裁判所に公訴が提起されたとき。

4　公訴提起の手続がその規定に違反したため無効であるとき。

第 339 条▶左の場合には，決定で公訴を棄却しなければならない。

1　第 271 条第 2 項の規定により公訴の提起がその効力を失ったとき。

2　起訴状に記載された事実が真実であっても，何らの罪となるべき事実を包含していないとき。

3　公訴が取り消されたとき。

4　被告人が死亡し，または被告人たる法人が存続しなくなったとき。

5　第 10 条または第 11 条の規定により審判してはならないとき。

❷前項の決定に対しては，即時抗告をすることができる。

第 353 条▶被告人の法定代理人または保佐人は，被告人のため上訴をすることができる。

第 355 条▶原審における代理人または弁護人は，被告人のため上訴をすることができる。

第 357 条▶上訴は，裁判の一部に対してこれをすることができる。部分を限らないで上訴をしたときは，裁判の全部に対してしたものとみなす。

第372条▶控訴は，地方裁判所，家庭裁判所または簡易裁判所がした第一審の判決に対してこれをすることができる。

第373条▶控訴の提起期間は，14日とする。

第377条▶左の事由があることを理由として控訴の申立てをした場合には，控訴趣意書に，その事由があることの充分な証明をすることができる旨の検察官または弁護人の保証書を添附しなければならない。

1　法律に従って判決裁判所を構成しなかったこと。

2　法令により判決に関与することができない裁判官が判決に関与したこと。

3　審判の公開に関する規定に違反したこと。

第384条▶控訴の申立ては，第377条ないし第382条および前条に規定する事由があることを理由とするときに限り，これをすることができる。

第387条▶控訴審では，弁護士以外の者を弁護人に選任することはできない。

第388条▶控訴審では，被告人のためにする弁論は，弁護人でなければ，これをすることができない。

第390条▶控訴審においては，被告人は，公判期日に出頭することを要しない。ただし，裁判所は，50万円（刑法，暴力行為等処罰に関する法律および経済関係罰則の整備に関する法律の罪以外の罪については，当分の間，5万円）以下の罰金または科料に当たる事件以外の事件について，被告人の出頭がその権利の保護のため重要であると認めるときは，被告人の出頭を命ずることができる。

第402条▶被告人が控訴をし，または被告人のため控訴をした事件については，原判決の刑より重い刑を言い渡すことはできない。

第404条▶第2編中公判に関する規定は，この法律に特別の定のある場合を除いては，控訴の審判についてこれを準用する。

第405条▶高等裁判所がした第一審または第二審の判決に対しては，左の事由があることを理由として上告の申立てをすることができる。

1　憲法の違反があること，または憲法の解釈に誤りがあること。

2　最高裁判所の判例と相反する判断をしたこと。

3　最高裁判所の判例がない場合に，大審院もしくは上告裁判所たる高等裁判所の判例，またはこの法律施行後の控訴裁判所たる高等裁判所の判例と相反する判断をしたこと。

第406条▶最高裁判所は，前条の規定により上告をすることができる場合以外の場合であっても，法令の解釈に関する重要な事項を含むものと認められる事件については，その判決確定前に限り，裁判所の規則の定めるところにより，自ら上告審としてその事件を受理することができる。
第414条▶前章の規定は，この法律に特別の定のある場合を除いては，上告の審判についてこれを準用する。
第419条▶抗告は，特に即時抗告をすることができる旨の規定がある場合の外，裁判所のした決定に対してこれをすることができる。ただし，この法律に特別の定のある場合は，この限りでない。
第422条▶即時抗告の提起期間は，3日とする。
第433条▶この法律により不服を申し立てることができない決定または命令に対しては，第405条に規定する事由があることを理由とする場合に限り，最高裁判所に特に抗告をすることができる。
❷前項の抗告の提起期間は，5日とする。
第435条▶再審の請求は，左の場合において，有罪の言渡しをした確定判決に対して，その言渡しを受けた者の利益のために，これをすることができる。

1. 原判決の証拠となった証拠書類または証拠物が，確定判決により偽造または変造であったことが証明されたとき。
2. 原判決の証拠となった証言，鑑定，通訳または翻訳が，確定判決により虚偽であったことが証明されたとき。
3. 有罪の言渡しを受けた者を誣告した罪が，確定判決により証明されたとき。ただし，誣告により有罪の言渡しを受けたときに限る。
4. 原判決の証拠となった裁判が，確定裁判により変更されたとき。
5. 特許権，実用新案権，意匠権または商標権を害した罪により有罪の言渡しをした事件について，その権利の無効の審決が確定したとき，または無効の判決があったとき。
6. 有罪の言渡しを受けた者に対して無罪もしくは免訴を言い渡し，刑の言渡しを受けた者に対して刑の免除を言い渡し，または原判決において認めた罪より軽い罪を認めるべき明らかな証拠をあらたに発見したとき。
7. 原判決に関与した裁判官，原判決の証拠となった証拠書類の作成に関与した裁判官，または原判決の証拠となった書面を作成しもしくは供述をした検察官，検察事務官もしくは司法警察職員が，被告事件について職務に関する罪を犯したことが確定判決により証明されたとき。ただし，原判決をする前に裁判官，検察官，検察事務官または司法警察職員に対して公訴の提起があった場合には，原判決をした裁判所がその事実を知らなかったときに限る。

第454条▶検事総長は，判決が確定した後その事件の審判が法令に違反したことを発見したときは，最高裁判所に非常上告をすることができる。

第461条▶簡易裁判所は，検察官の請求により，その管轄に属する事件について，公判前，略式命令で，100万円以下の罰金または科料を科することができる。この場合には，刑の執行猶予をし，没収を科し，その他付随の処分をすることができる。

第465条▶❶略式命令を受けた者または検察官は，その告知を受けた日から14日以内に，正式裁判の請求をすることができる。

第471条▶裁判は，この法律に特別の定のある場合を除いては，確定した後これを執行する。

**憲法**

第21条▶❶集会，結社および言論，出版その他一切の表現の自由は，これを保障する。

第31条▶何人も，法律の定める手続によらなければ，その生命もしくは自由を奪われ，またはその他の刑罰を科せられない。

第32条▶何人も，裁判所において裁判を受ける権利を奪われない。

第33条▶何人も，現行犯として逮捕される場合を除いては，権限を有する司法官憲が発し，かつ理由となっている犯罪を明示する令状によらなければ，逮捕されない。

第34条▶何人も，理由をただちに告げられ，かつ，ただちに弁護人に依頼する権利を与えられなければ，抑留または拘禁されない。また，何人も，正当な理由がなければ，拘禁されず，要求があれば，その理由は，ただちに本人およびその弁護人の出席する公開の法廷で示されなければならない。

第35条▶何人も，その住居，書類および所持品について，侵入，捜索および押収を受けることのない権利は，第33条の場合を除いては，正当な理由に基づいて発せられ，かつ捜索する場所および押収する物を明示する令状がなければ，侵されない。

❷捜索または押収は，権限を有する司法官憲が発する各別の令状により，これを行う。

第36条▶公務員による拷問および残虐な刑罰は，絶対にこれを禁ずる。

第37条▶すべて刑事事件においては，被告人は，公平な裁判所の迅速な公開裁判を受ける権利を有する。

❷刑事被告人は，すべての証人に対して審問する機会を充分に与えられ，また，公費で自己のために強制的手続により証人を求める権利を有する。

❸刑事被告人は，いかなる場合にも，資格を有する弁護人を依頼することができる。被告人が自らこれを依頼することができないときは，国でこれを附する。

第38条▶何人も，自己に不利益な供述を強要されない。

❷強制，拷問もしくは脅迫による自白または不当に長く抑留もしくは拘禁された後の自白は，これを証拠とすることができない。
❸何人も，自己に不利益な唯一の証拠が本人の自白である場合には，有罪とされ，または刑罰を科せられない。
第 39 条▶何人も，実行の時に適法であった行為またはすでに無罪とされた行為については，刑事上の責任を問はれない。また，同一の犯罪について，重ねて刑事上の責任を問われない。
第 40 条▶何人も，抑留または拘禁された後，無罪の裁判を受けたときは，法律の定めるところにより，国にその補償を求めることができる。
❷捜索または押収は，権限を有する司法官憲が発する各別の令状により，これを行う。
第 76 条▶❸すべて裁判官は，その良心に従い独立してその職権を行い，この憲法および法律にのみ拘束される。
第 78 条▶裁判官は，裁判により，心身の故障のために職務を執ることができないと決定された場合を除いては，公の弾劾によらなければ罷免されない。裁判官の懲戒処分は，行政機関がこれを行うことはできない。
第 80 条▶❷下級裁判所の裁判官は，すべて定期に相当額の報酬を受ける。この報酬は，在任中，これを減額することができない。
第 82 条▶裁判の対審および判決は，公開法廷でこれを行う。
❷裁判所が，裁判官の全員一致で，公の秩序または善良の風俗を害する虞があると決した場合には，対審は，公開しないでこれを行うことができる。ただし，政治犯罪，出版に関する犯罪またはこの憲法第 3 章で保障する国民の権利が問題となっている事件の対審は，常にこれを公開しなければならない。

**刑法**

第 31 条▶（死刑を除く。）刑の言渡しを受けた者は，時効によりその執行の免除を得る。
第 32 条▶時効は，刑の言渡しが確定した後，次の期間その執行を受けないことによって完成する。

1　無期の懲役又は禁錮については 30 年
2　10 年以上の有期の懲役又は禁錮については 20 年
3　3 年以上十年未満の懲役又は禁錮については 10 年
4　3 年未満の懲役又は禁錮については 5 年
5　罰金については 3 年
6　拘留，科料及び没収については 1 年

第 42 条▶罪を犯した者が捜査機関に発覚する前に自首したときは，その

刑を減軽することができる。
❷告訴がなければ公訴を提起することができない罪について，告訴をすることができる者に対して自己の犯罪事実を告げ，その措置にゆだねたときも，前項と同様とする。
第92条▶外国に対して侮辱を加える目的で，その国の国旗その他の国章を損壊し，除去し，または汚損した者は，2年以下の懲役または20万円以下の罰金に処する。
❷前項の罪は，外国政府の請求がなければ公訴を提起することができない。
第177条▶13歳以上の者に対し，暴行又は脅迫を用いて性交，肛門性交又は口腔性交（以下「性交等」という。）をした者は，強制性交等の罪とし，5年以上の有期懲役に処する。13歳未満の者に対し，性交等をした者も，同様とする。

### 少年法

第1条▶この法律は，少年の健全な育成を期し，非行のある少年に対して性格の矯正および環境の調整に関する保護処分を行うとともに，少年および少年の福祉を害する成人の刑事事件について特別の措置を講ずることを目的とする。
第2条▶❶この法律において「少年」とは，20歳に満たない者をいう。
第20条▶家庭裁判所は，死刑，懲役または禁錮に当たる罪の事件について，調査の結果，その罪質および情状に照らして刑事処分を相当と認めるときは，決定をもって，これを管轄地方裁判所に対応する検察庁の検察官に送致しなければならない。
❷前項の規定にかかわらず，家庭裁判所は，故意の犯罪行為により被害者を死亡させた罪の事件であって，その罪を犯すとき16歳以上の少年に係るものについては，同項の決定をしなければならない。ただし，調査の結果，犯行の動機および態様，犯行後の情況，少年の性格，年齢，行状および環境その他の事情を考慮し，刑事処分以外の措置を相当と認めるときは，この限りでない。
第51条▶罪を犯すとき18歳に満たない者に対しては，死刑をもって処断すべきときは，無期刑を科する。

# さくいん

## た

## な



## は



## ま



## や



## ら

著　者　プ　ロ　フ　ィ　ー　ル

## 尾崎哲夫(Ozaki Tetsuo)

1953年大阪生まれ。1976年早稲田大学法学部卒業。2000年早稲田大学大学院アジア太平洋研究科国際関係専攻修了。2008年米国ルイス・アンド・クラーク法科大学院留学。
松下電送機器㈱勤務，関西外国語大学短期大学部教授，近畿大学教授を経て，現在研究・執筆中。
主な著書に，「ビジネスマンの基礎英語」（日経文庫）「海外個人旅行のススメ」「海外個人旅行のヒケツ」（朝日新聞社）「大人のための英語勉強法」（PHP文庫）「私の英単語帳を公開します!」（幻冬舎）「コンパクト法律用語辞典」「法律英語用語辞典」「条文ガイド六法　会社法」「法律英語入門」「アメリカの法律と歴史」「アメリカ市民の法律入門（翻訳）」「はじめての民法総則」「はじめての会社法」「はじめての知的財産法」「はじめての行政法」「はじめての労働法」「国際商取引法入門」（自由国民社）他多数がある。
［E-Mail］ted.ozaki@gmail.com
［Web］http://www.ozaki.to

About the Author
Ozaki Tetsuo, born in Japan in 1953, was a professor at Kinki University.
Graduating from Waseda University at Law Department in April 1976, he was hired as an office worker at Matsushitadenso (Panasonic group). He graduated from graduate school of Asia-Pacific Studies at Waseda University in 2000. He studied abroad at Lewis & Clark Law school in the United States in 2008. Prior to becoming a professor at Kinki University he was a professor at Kansaigaikokugo college (from April 2001 to September 2004).
He has been publishing over two hundred books including,
*A Dictionary of English Legal Terminology,* Tokyo : Jiyukokuminsha, 2003
*The Law and History of America,* Tokyo : Jiyukokuminsha, 2004
*An introduction to legal English,* Tokyo : Jiyukokuminsha, 2003
*English Study Method for Adults,* Tokyo : PHP, 2001
*The Dictionary to learn Legal Terminology,* Tokyo : Jiyukokuminsha, 2002
*The first step of Legal seminar series* (over 20 books series), Tokyo : Jiyukokuminsha, 1997～
*The Fundamental English for business person,* Tokyo : Nihonkeizaishinbunsha (Nikkei), 1994
*The Recommendation of Individual Foreign Travel,* Tokyo : Asahishinbunsha, 1999
*The Key to Individual Foreign Travel,* Tokyo : Asahishinbunsha, 2000
*Master in TOEIC test,* Tokyo : PHP, 2001
*Basic English half an hour a day,* Tokyo : Kadokawashoten, 2002
*I show you my studying notebook of English words,* Tokyo : Gentosha, 2004
*American Legal Cinema and English,* Tokyo : Jiyukokuminsha, 2005,

and other lots of books.
He has also translated the following book.
Feinman, Jay, *LAW 101 Everything you need to know about the American Legal System,* England : Oxford University Press, 2000
＊These book titles translated in English. The original titles are published in Japanese language.

［3日でわかる法律入門］
はじめての刑事訴訟法（けいじそしょうほう）
2003年2月5日　初版発行
2022年12月26日　第9版第1刷発行

著　者――尾崎哲夫
発行者――石井　悟
印刷所――横山印刷株式会社
製本所――新風製本株式会社
発行所――株式会社自由国民社
〒171-0033 東京都豊島区高田3－10－11
TEL 03(6233)0781(代) 振替 00100-6-189009
https://www.jiyu.co.jp/